JN048232

ネットの高校、日本一になる。

開校5年で在校生16、000人を突破したN高の秘密

序章　未曾有の事態で、注目が集まった

臨時休校の混乱のさなか、いつもと変わらない日常を送る学校

２０２０年2月27日、木曜日。世界中で新型コロナウイルスの感染が拡大しつつあったこの日、日本政府は全国の小中高校に対し、翌週の月曜日から臨時休校にするよう求めた。前例のない急な発表に、学校現場と家庭には戸惑いの声があふれた。

決定は覆ることなく、3月2日から子どもたちは学校に行けなくなった。教室での一斉授業ができないため、課題プリントを配布する形でかろうじて学びを進める学校もあった。しかし、その方法で新しい単元を学ぶのは難しい。家庭学習でこれまで学んだことを復習するしかなかった。

1ヶ月ほどで終わるかと思われた休校は、緊急事態措置の延長によって約3ヶ月も続くことになる。休校明けの学校では、学習の遅れを取り戻すために一方的な講義型の授業が増え、行事も縮小、あるいは中止された。当たり前の日常が揺さぶられ、教育のあり方が問い直される3ヶ月間だった。

そんな混沌とした状況のなか、いつもとほぼ変わらない学校生活を送っていた子どもたちがいた。N高等学校、通称N高の生徒である。N高は2016年に開校した、角川ドワンゴ学園が運営する通信制高校だ。

N高の生徒たちは新型コロナの流行前から、教室での一斉授業を受けていない。高校卒業資格取得のための授業、いわゆる普通の授業は、N高が独自で開発した学習アプリ「N予備校」でおこなっている。パソコンやタブレット、スマホで、いつでもどこでも自分のペースで授業を受けられ、もちろん質問だってできる。生配信の授業では、リアルタイムでコメントを書き、先生や他の受講生とコミュニケーションを取ることも可能だ。

ホームルームもネット上で実施される。コミュニケーションツールSlackを用い、担任ごとにメッセージやファイルを共有するチャンネルを設定しているのだ。そこがバーチャルな「教室」になっている。先生はホームルームの時間になると、生徒に呼びかけるコメントを書き込み、参加している生徒はそれに挨拶を書き込んで応える。連絡事項やスケジュール伝達の他、独自の企画で交流を深めるクラスもある。

学習の進捗状況の確認や面談も、オンラインでおこなってきた。連絡はSlackのダイレクトメッセージ機能やメールで事足りる。連絡事項を伝えるために、紙のプリントを印刷して配る必要はない。ある教員が言うには、チャットツールでのコミュニケーションに慣れると、メールのやり取りも少し「遅く」感じられるという。

「通学コース」という全国のキャンパスに通うコースを選択している生徒たちも、

顔を合わせる場がキャンパスからオンライン会議システムの「Zoom」に変わっただけで、移行はスムーズだった。

N高では国からの要請が出る前に、今後は登校が難しくなると判断し、2月25日から通学コースをオンライン登校に切り替えていた。Zoomでログインして Googleフォームで出席を申請することで登校とする、Slackでお知らせや1日のスケジュールを伝えて朝礼とする、など通学コースの行動をネット上での手続きに置き換え、家にいながら通学しているような感覚をつくりだしたのだ。

大学受験に特化したクラスでは、以前からWebカメラで自習の様子を共有しあい、集中力や連帯感を醸成する「ネット自習室」を設置していた。それを通学コースの生徒全員に広げ、登校できないとはいえ一人で自宅学習を進めるのではなく、仲間と自習室で勉強しているように感じられる環境も用意した。

また、通学コースでは課題解決型学習を主におこなっていたが、こちらのグループ活動などもネット上のやり取りで円滑に進められていった。

入学式も部活も、5年前からオンライン

臨時休校の間には、卒業式、入学式が含まれていた。参加人数を絞ったり延期したりして開催した学校もあったが、中止を決断した学校も少なくなかった。

N高はどうしたか。完全にオンラインで開催したのである。例年は、会場に集まって現地参加する生徒と、「ニコニコ生放送」のライブ配信でオンライン参加する生徒に分かれていた。N高の入学式は、VRを活用することで有名だ。開校当初、一番話題となったのは会場に集った新入生がズラッと並んでヘッドマウントディスプレイを装着している姿だった。そのせいで色物扱いされることもあったが、その後も毎年VRの活用は続けられてきた。

そして2020年の入学式は、VR空間上に予定会場であった新宿の映画館を再現。新入生は自宅でヘッドマウントディスプレイをつけ、全国から入学式に参

加した。その数、５６５０人。映画館の席で隣を見ると、同期の新入生のアバターが表示されるようになっている。校長先生はバーチャルで登場し、本校のある沖縄の伊計島をＶＲで観光する一幕もあった。

オフラインで集まれない状況を逆手に取り、オンラインで全員が集まれる疑似体験を提供する。これであれば、東京に住んでいようと地方に住んでいようと関係なく入学式を楽しめる。Ｎ高にとって２０２０年は、より発展した未来の入学式を体験できる年となったのだ。一朝一夕では真似できない、教育へのＩＣＴ活用を４年以上模索し、実践してきたＮ高ならではの施策だった。

Ｎ高では、部活動もネット上でおこなわれている。例えば、ｅスポーツ部。ゲーム好きの生徒たちがオンラインで集まり、「リーグ・オブ・レジェンド」、「ウイニングイレブン２０１９」といったタイトルをプレイしている。通信制であるＮ高の生徒は全国に存在しているため、みんなで活動するにはオンラインのほうが都合がよかったのだ。

グラウンドで汗を流すような部活動をイメージするとギャップを感じるかもしれない。しかしｅスポーツは立派な競技であり、ｅスポーツ部はれっきとした「部活」なのである。部活と銘打つからには、ただ遊ぶだけではなく各タイトルのプロゲーマーから指導を受けたり、公式大会での優勝を目指して切磋琢磨したりもする。この活動は、休校要請期間にも途切れることなくおこなわれた。

他にも美術部に所属する生徒はイラストをSlack上で公開してコメントしあったり、コンピューター部の生徒はプログラミングの技術を磨いたりしていた。すべてオンライン上で進められることである。

休校中は、子どものストレスが増したという調査結果もある。また保護者からは、友人や多様な人と関わる機会の減少を危惧する声もあった。N高では、もともとコミュニケーションの基盤がネット上にあるため、そうしたストレスを抱える生徒は少なかったと考えられる。

学校の運営面でも大きな影響はなかった。この新型コロナウイルスの影響で、初めてZoomなどのオンライン会議システムを使ったビジネスパーソンもいると思われるが、Ｎ高では２０１７年からZoomをヘビーユースしていた。２０１７年に通学コースのキャンパスが全国に設置され始め、各拠点の教職員の会議がオンライン上でおこなわれていたからだ。

副校長（取材当時）であり、設立当初からＮ高のシステム関係やプログラミング教育を統括していた吉村総一郎さんは「Zoomって、新型コロナ前はＮ高だけが大口のカスタマーだったんじゃないでしょうか。今回、急激にユーザーが増えて、サービスの雰囲気が変わりましたね。もうあまり優遇してもらえなくなっちゃった」と笑う。

他には、稟議や経費精算、勤怠管理などの事務的な業務も、「rakumo」などの業務推進クラウド化ツールを使ってオンラインでおこなっている。このあたりに、ＩＴ企業であるドワンゴが主導でつくり上げた学校らしさが表れている。ＩＴ企業であれば当然かもしれないが、学校と考えると相当デジタル化が進んでいる印象を受けるだろう。

「ネットの高校」への評価がうなぎのぼりに

N高は、開校当初から「ネットの高校」と謳っている。この「ネットの高校」というコンセプトに対し、揶揄する人や「協調性が育たなそう」「教育は対面にこそ意味がある」と批判する人もいた。

しかし、人が一つの場所に集合することが感染拡大防止の観点から控えるべきとされた途端、価値観の逆転が起こり、「ネットの高校」はこの時代に最適で、進歩的な教育機関としてプラスに捉えられるようになった。N高の強みが、コロナ禍でくっきりと浮き彫りになったのだ。

そもそも、新型コロナウイルスの感染が拡大する少し前から、文部科学省は世界の教育トレンドや情報技術の発展を鑑みて、「教育のオンライン化」を進めようとしていた。つまり「ネットの学校」をつくっていかなければと考えていたのだ。その方針をまとめたのが、2019年12月に発表された「GIGAスクール構想」である。

GIGAスクール構想とは、児童生徒に一人1台の端末を導入し、高速大容量の通信ネットワークを一体的に整備することをベースに、個別最適化された創造性を育む教育を実現する、というものだ。この構想は、新型コロナウイルスの感染拡大を受け、前倒しで進められることになった。

この「生徒一人1台の端末」はすでにN高の開校当時から実現されているし、「個別最適化された創造性を育む教育」は多様な課外授業や職業体験などで目指してきたことでもある。いずれ、誰もがN高の教育の価値に気づいたかもしれない。しかし、このコロナ禍でそれが早まったと考えられる。

オンライン教育の先駆者としての矜持

さらにN高が注目を集めたのは、2020年3月1日から3ヶ月間、先述のオンライン学習アプリN予備校を無料開放したことだ。このアプリはN高生であればどの授業も無料で受講できるが、一般に向けては月額制でサービスを提供している。用意されている授業は、大学受験コースや中学復習講座、プログラミングコースなど。休校によって学習が進められない全国の高校生に向け、有料登録無しですべての授業を受けられるようにした。

この試みはネットで大きな話題を呼び、高校生のみならず、プログラミングを学びたい大人などもN予備校のアプリをダウンロードした。オンライン教育に興味のある教育関係者の関心もひいたようだ。受講した高校生からは「わかりやすい」「おもしろい」といったプラスの評価が多く集まった。

そして、同時期に教員向けのオンライン授業サポートを始めた。オンライン教育の先駆者として、やるべきだろうという判断だった。こちらも、N高がオンライン授業運営で培ってきたノウハウの共有を目的として、無料で提供された。いきなりオンライン授業をやれと言われた教員にとっては、窮地で差し伸べられた救いの手に見えたことだろう。こちらには、500件近くの問い合わせが寄せられたという。

N高の運営母体である角川ドワンゴ学園の理事である夏野剛さんは、「N高って設立当初は、文部科学省、教育関係者、メディア、高校生、その保護者の方々……本当に多くの人から『ネットの高校なんてうまくいくの？』と、懐疑的に見られていたんです。こうした反響を聞くと、我々がやってきたことの意義が証明されたようでうれしいですね」と語る。

教育評論家の後藤健夫さんは、「新型コロナウイルスの感染拡大が、N高の注目度をより高めている」と分析する。

「今回の臨時休校によってオンライン教育が注目されるのと同時に、開校当時からオンラインで授業をおこなっていたN高にも注目が集まっています。保護者も、この先何かがあってまた休校になるような事態がありうるならば、初めからN高に通わせておいたほうがいい、と考える人が増えるでしょう。新型コロナウイルスによって、N高の価値に光が当たったのだと思います」

前作の取材は開校から1年経たないうちにおこなった。まだこの頃のN高は、職員や教員、生徒たちも手探りの状態で、初々しさと未知の可能性にあふれていた。それから約4年。生まれたばかりの赤ちゃんのようだったN高は、開校から5年でどう変わったのか。快進撃を続けるN高の今を追った。

目次

第2章 生徒が変わった

第3章 部活が変わった

第4章　見られ方が変わった

第5章　教職員の働き方が変わった……173

第6章　識者から見たN高……197

第7章　N高＋N中等部＋S高……235

第１章

日本一の生徒数になった

通信制なのに、通学する生徒が増えている

『ネットの高校、はじめました。』が出版された2017年当時、設立2年目を迎えたN高の生徒数は3868人であった。その数は2018年に6500人、2019年には1万人を超え、生徒数は右肩上がりに増えていった。そして、2020年の初頭にはそれまで日本最大だった通信制高校の生徒数を超え、N高が日本最大の高校となった。その勢いは衰えず、2020年末には生徒数が1万6000人を突破した。

筆者の通っていた地方の公立高校は、1学年に40人のクラスが10クラスほどあった。つまり、高校全体では約1200人。その10倍以上の生徒が一つの高校にいるということだ。同学年の生徒が約5000人。大きめの総合大学のような規模感である。

新型コロナウイルス感染拡大の影響で、N高のキャンパスは2020年5月末から分散登校を実施していた。7月3日、初めての全員登校の日に、東京・代々木のキャンパスを訪れた。ここは、2019年4月に移転・拡張したキャンパスで、オフィスビルの2フロアを使っている。レンガや木材を使用したガレージ風の内装は、高校というよりアメリカ西海岸のITベンチャーのようだ。フロアはかなり広いのだが、生徒が多く手狭に見える。通学コースの生徒の増加ペースが速く、キャンパスを増やしたり拡張したりしても間に合わないのだという。

壁際に置かれたホワイトボードには、学校からのお知らせや生徒の描いたイラスト、撮影した写真などが飾られている。自分の「推し」をプレゼンする、という企画のボードもあり、これがなかなかの力作で思わず見入ってしまった。キャンパスではこのように、生徒同士のコミュニケーションが活性化するような仕組みを随所に取り入れている。

N高の制服を着た生徒もいるが、大半は私服。青い髪だったりピアスをあけていたりと、各々好きな格好をしている。「双子コーデ」なのか、おそろいの服装で一緒に歩いている女子二人組も見かけた。盛り上がっているグループの横を通ると、「これまでネット上でのやり取りだけだったけど、今日初めて実際に会えた」、とうれしそうに話していた。長い休み明けの高揚感が、キャンパス全体に満ちていた。

キャンパスに通うのは、通学コースを選択した生徒たちだ。生徒全体の4分の1ほどにあたる。通学コースは、開校時は存在しなかった。「ネットの高校」というコンセプトなので、卒業資格取得に必要なスクーリングをおこなう場所以外は教室を設置しなかったのだ。

しかし、入学の面談をするなかで、「定期的に一定の場所に集まり、仲間と学習する体験をさせたい」という保護者のニーズが強いことがわかってきた。また、生徒へのアンケートでも「通学する場所があれば通いたいですか？」という質問に対し、相当数の生徒が「はい」と答えたことを踏まえ、2017年に通学コースが設置された。従来どおりオンライン授業とテストとスクーリングのみで卒業を目指す生徒は「ネットコース」を選択することになる。

通学コースの設置準備を振り返り、副校長の上木原孝伸（かみきはらたかのぶ）さんはこう語る。

「僕が最初に考えていたのは、子どもたちの居場所になるようなキャンパスだったんです。何時に来てもいいし、何時に帰ってもいい。集まってお菓子などを食べながらワイワイする場所があればいい、と。そうした企画を出したら上司に『それは今までの通信制高校やフリースクールと変わらない』とフィードバックを受けました。そこで『通わないとできないこと』を突き詰めたコースをつくらなければ、と考え直したんです」（上木原さん）

現在、通学コースでは午前中に21世紀型スキルを身につけるプログラムや、プロジェクトNと呼ばれるN高独自の課題解決型学習プログラムを受講する人が大半だ。きっちりと時間割が組まれており、午後はそれぞれのニーズに合わせて、N予備校での通常授業を進めたり、プログラミングや語学を学習したりする。

生徒たちが大きな机に並び、それぞれのPCでN予備校のプログラムを受講している様子は、少し不思議な印象を受ける。集まっているならば一斉授業でいいのではないか。また、それぞれが別の授業動画を視聴するならば、集まらなくてもいいのではないか、と。しかし、しばらく見ていると、自分の理解度に合わせて動画を止めたり巻き戻したりして観られることや、友人と話して進捗を共有することなどが、学習効率を上げているとわかる。

自宅学習の難点の一つは、学習のモチベーションを保つのが難しいことだ。みんながかんばっているから、自分もがんばれるという効果は意外と大きい。一人でやるほうが集中できる人もいれば、周りにある程度人がいたほうが勉強しやすい人もいる。これはリモートワークが普及した今、ビジネスパーソンにとっても実感できることなのではないだろうか。生徒同士で集まってオンライン授業を受けられる場を用意することには、それなりの効果と意味があるのだ。

スタートアップの創業メンバーのような生徒たち

この日は、「アクティブラーナー」と呼ばれる生徒の授業を見学した。アクティブラーナー制度は、「起業したい」「デザインスキルを身につけたい」などの目標が明確に決まっていて、それに向けて活動している生徒をサポートするものである。目標について自分の言葉で語れる、出席率が高いなどの条件をクリアしてアクティブラーナーに選ばれると、担任の教員と相談し、より自分のやりたいことに注力するよう時間割をカスタマイズできる。そして、アクティブラーナー同士で活動報告をおこない、刺激を受け合って成長する環境に身を置ける。

アクティブラーナーは、企業との特別な共同プロジェクトに参加することもできる。この日の授業は、ＪＲ東日本都市開発のオリエンテーションをもとに、高架下エリアを活用した商業施設を考えるという内容であった。架空の設定でアイデア出しをするのではない。生徒たちは３ヶ月かけてエリアの選定からリサーチ、ペルソナ設定、コンセプト開発、どの店舗を誘致したいかといった具体的な提案に向けて活動するのだ。社会人向けのワークショップと言っても通じる、高度な内容である。

初回のこの日は、ディスプレイを使って概要が説明され、そのあと導入のワークをおこなう流れになっていた。ワークの内容は、実在の高架下の商業施設について、周囲にはどんな人が住んでいるか、どういった層がよく利用していると考えられるか、といったことを調査・考察し、グループ単位で発表するもの。ワークシートが用意され、それに書き込む形で進めていく。生徒たちは大きめのテーブルに3、4人ずつ座り、それが1グループとなっている。

それぞれが自分のノートPCを使いこなし、分担してリサーチを進めていく。PCには「AWS (Amazon Web Services)」や渋谷にある実験的な共創空間「100BANCH」のステッカー、技術者用のウェブサービスのステッカーなどを貼っている生徒もおり、取材で出会うIT系スタートアップ界隈の経営者やエンジニアのようだ、と感じた。一見、高校生には見えない。

ワークシートはSlackの授業チャンネルで共有され、今回のプロジェクトで組んだグループのチャンネルもすぐにつくられ、ファイルなどを送り合っている。テーブルの間をまわってグループごとの話し合いを聞いていると、デッドスペースの活用例など「よく知っているな」と感心しきりであった。発表内容も、Googleマップのストリートビューで周囲にどんな住宅が多いかを調べたり、地域の世帯年収のデータからペルソナを考えたりと、リサーチ能力の高さがうかがえた。

進学先として、全日制の高校と同じ土俵で戦えるように

アクティブラーナーたちは企業との共同企画に慣れているように見え、初回から最終的な成果物として何を出すか、というゴールを見据えて話し合いを進めて

いた。「映像編集できる人いる?」「Blender（3DCGソフトウェア）使えたら、施設のイメージつくれるよね」など、ただパワーポイントでスライドをつくるだけでないプレゼンを前提としていることに驚かされる。またグループに分けられるとすぐにリーダーが決まり、そのリーダーがそれぞれの得意分野を把握して役割を割り振っていく姿も見受けられた。こうしたプロジェクトマネジメントのスキルは、通常の高校に通っていたら身につけられないものだろう。

このプロジェクトNでは、思考スキルやコミュニケーションスキル、プロジェクトマネジメント、表現スキル、ITスキルを身につけることが目標とされている。企業プロジェクトの成果物に対しては、社員から直接フィードバックをもらえ、優秀な企画は実現されることもある。高校生のうちから、このような学習を続けていたら卒業までにどれだけの力が身につくだろうか。末恐ろしいとさえ思った。

こうしたN高独自の通学コースができたことにより、従来であれば全日制の高校に進学していた子どもたちが、N高を志望するケースが増えたという。教科の授業はオンラインで効率的にすませ、語学やプログラミングスキル、デザインスキル、リーダーシップ、自己表現能力などを磨く勉強をしたい。そう思う人にとって、N高は魅力的な選択肢に映る。通信制の高校が、全日制の高校と同じ土俵で戦えるようになったのだ。この変化は生徒の増加に大きく寄与している。

その証拠として、現在のN高は転校生よりも中学を卒業して4月に新入生として入る割合のほうが大きいのだ。通常の通信制高校は、今通っている学校でうまくいかなくなったために転校してくるケースが多い。しかし、N高はそうではなく、高校受験のタイミングで選ばれる進学先の一つになっている。しかも、新入生の第一志望率は90%を超えているという。「不登校になったからやむなく」でも「他の高校に入れなかったから」でもなく、「N高に行きたい」と入ってくる生徒たちなのだ。

ＩＴ企業の新人研修をベースにした、実践的なプログラミング授業

　Ｎ高生に話を聞いていると、選んだ理由として「プログラミングが学べるから」と答える人が少なからずいる。プログラミングを学ぶことへの注目度も、前回取材をした4年前よりぐっと上がった。２０２０年4月から小学校でのプログラミング教育が必修化されたからだ。4年前はまだ、プログラミングを学ぶのは一部のウェブやゲームに興味のある子たちであるという風潮があった。しかし、必修化となれば一部の人たちのものではなくなる。

　そして、生徒や保護者のなかには「ＩＴの専門家ではない教員がプログラミングを教えられるのだろうか」と不安を覚える人もいるだろう。その点、Ｎ高はＩＴ企業であるドワンゴが運営に関わっているため、現役のエンジニアから実践的なプログラミングを学ぶことができる。技術だけでなく、インターンシップの紹介やＩＴ企業への就職サポートも受けられるのだ。

プログラミングコースの教材の著者は、前述の吉村さん。吉村さんはもともとドワンゴのトップエンジニアで、今はN高の仕事をメインにおこなっている。N高の開校当初から、プログラミングの講義を担当してきた。吉村さんは、N高のプログラミング教育について「入門コースを受講すれば、一般的なウェブ企業でインターンやアルバイトができるというレベルに設定している」と言う。

「最初のコンセプトが、『すべて受講したらそのままドワンゴで働いても問題ないくらいの技術が身につく』でした。そういうものにしてほしいというオーダーが、川上(かわかみ)(量生(のぶお)。ドワンゴ創業者・角川ドワンゴ学園理事)からあったんです」

吉村さんは開校1年前の2015年に入門コースの準備をし、3年かけて「大規模Webアプリ」「スマートフォンアプリ」「コンピュータサイエンス」といったより詳細なテーマの教材を書いた。それらは技術の進歩やトレンドをふまえて、今でもほぼ毎日更新しているという。他にも機械学習やUnityでのゲーム開発なども学ぶことができる。

このIT企業が運営に関わっている「本気」のプログラミング教育が、コンピューターや起業に興味のある子どもを惹きつけているのだ。

世界で活躍する高校生に選ばれている

N高の志望者が増えた理由の一つは、イメージアップであると考えられる。「すごそう」「楽しそう」といったイメージに寄与しているのが、スポーツや文化活動、学業などの面で飛び抜けた成果を出しているスーパー高校生の存在。その筆頭が、フィギュアスケーターの紀平梨花選手だ。

グランプリファイナル2018で優勝した実績を持つ紀平選手は、新入生としてN高に入学した。2018年にN高が実施したインタビューでは、「学校生活とスケートを両立できる学校はなかなかない。N高は合間の時間を有効活用して勉強や課題ができるので、スケートに集中できる。そこがすごく良いと思って進学先に選んだ」と語っている。２０１８年にＮＨＫ杯で初優勝した際には、Ｎ高の生徒であることが記事にもなり、話題を呼んだ。ニュースなどで所属高校として「Ｎ高等学校」の名前が出たことも大きかった。これで、Ｎ高は「謎の高校」から「あの紀平さんが在籍している高校」というイメージになったのだ。

他にも、紀平選手がＮ高を知るきっかけとなったフィギュアスケートの川畑和愛選手（２０２０年３月卒業）、ウィンブルドン選手権・ジュニアで優勝したテニスの望月慎太郎選手、アイスホッケーＵ20世界選手権の日本代表選手として優勝しＭＶＰにも選ばれた佐藤優さん（２０２０年３月卒業）、２０１８年アジア大会ジャカルタ・パレンバン大会で金メダルを獲得したｅスポーツの相原翼選手（２０１９年３月卒業）、歴代最年少で女流棋聖を獲得し女流本因坊の獲得実績もある囲碁棋士の上野愛咲美さん（２０２０年３月卒業）、国際言語学オリンピックで金賞受賞・世界３位という成績を残した吉野匠さん（２０２０年３月卒業）など、国内外、さまざまなジャンルで活躍する生徒がＮ高を選んでいる。

また、メディアアーティストの落合陽一（おちあいよういち）さんを輩出したことでも有名な未踏事業の中高生版「未踏ジュニア」にプロジェクトが採択される生徒、総務省主催のＩＣＴ分野の技術課題に挑戦する「異能ｖａｔｉｏｎ」アワードで受賞する生徒、アプリ制作のコンテストやビジネスコンテストで高い成績を残す生徒なども続々と出てきている。生徒が活躍することで、Ｎ高のイメージがどんどん上がっているのだ。

学力試験のない高校から、東大合格者が出た

さらに２０２０年、Ｎ高は大学進学実績でも注目を集めることとなった。東京大学1名、京都大学３名の合格者を出したのである。東大・京大以外の国公立大学の合格者は23名。また、慶應義塾大学に13名、早稲田大学に８名合格している。

東大に合格した生徒は、「ネット特進専攻」（現 オンラインコーチング大学受験）というプログラムで学習のスケジュール管理や参考書選びなどのアドバイスを受けていた。N高では高校卒業資格のための授業を効率的に終えられるため、その分、受験勉強に時間を使えるという利点もあっただろう。

これらの進学実績が出たことについて夏野剛理事は「想定よりも早い」と言う。起業やプログラミングなどの経験を活かせるAO入試（現 総合型選抜）の合格者は多いと予想していたけれど、学力試験の受験でこれだけの難関校への合格者が出てくるとは思っていなかったそうだ。

N高の進学実績への反応として、「進学校を目指すのか」といった懸念も聞かれた。それに対して夏野理事は明確に否定する。

「これを機に、受験に特化した学校にしようとは思いません。もちろん、難関大学を目指したい人には適切なサポートをします。でもそれは全員ではなく、他のことがしたい人には別のサポートをしたり、チャレンジの機会をつくったりする。

これまでの高校は均一性や同一性をもとに教育システムが設計されていました。それでは、これからの時代で創造的な仕事をする人材は育たない。N高は一人一人の個性を活かし、やりたいことを邪魔せず、自分の道を追求できる環境をつくることが大事だと考えています」

難関校合格はあくまで、生徒がそれぞれ目指す目標の一つなのだ。ただ、東大合格者や京大合格者が出た意味は大きい。進学実績ができると、あとに続く合格者が出やすくなる。学校内に受験のノウハウが溜まり、学習サポートも提供しやすくなるだろう。

また、進学実績は中学校の教員からの認知度にも影響する。知っている学校、なおかつ大学進学実績のいい高校は保護者に対しても進学先として案内しやすくなる。N高は入学に際して学力テストを課していないが、学力が高く、他にチャレンジしたいことのある中学生からの支持も上がるはずだ。

複合的な要因で、N高の生徒数は増えていった。そして序章でも触れた通り、新型コロナウイルスの感染拡大は、N高への注目度をさらに引き上げた。入学説明会のオンライン開催が基本になって参加ハードルが下がったこともあり、参加者は2019年よりも大幅に増えているそうだ。生徒数日本一は、ゴールではない。今後も同ペースか、それ以上に生徒数が増えていくことが見込まれる。

第２章

生徒が変わった

学力の高い子も、普通の子も、アスリートも

開校から5年。生徒数が増加するとともに、入ってくる生徒のタイプも変わってきた。なかでも注目すべき変化は、中高一貫校や進学校から入学、あるいは転校してくるケースが増えたことだ。

教育評論家の後藤健夫さんは、神奈川県の偏差値70を超える男子校・聖光学院高等学校や、東京の女子御三家の一角である桜蔭高等学校からN高に転校したケースを耳にしているという。後藤さんは、進学校の生徒が感じるN高の魅力をこう語る。

「N高は、全日制に比べて高校卒業資格を得るための授業時間を圧縮しています。それ以外の時間は、個人の自由。圧縮して空いた時間で、プログラミングや高等数学、21世紀型スキルなどを学べるプログラムも用意されている。そこが、自分のペースで興味あることを学びたい学習意欲の高い子に、支持されているのでは

ないでしょうか」（後藤さん）

前作では、N高について「『不登校の受け皿』というパブリックイメージを超えて、通信制高校の可能性を広げつつある」と書いた。現実的には開校1年で、長年かけて醸成された世間の見方を変えるのは難しい。当時はまだ、全日制の中学や高校が息苦しくなってN高に飛び込んできた生徒も多かった。

それが今では、全体の割合でみても多くの生徒が不登校の問題を抱えていない。吉村総一郎さんは、生徒の髪色から変化を感じ取っているという。

「開校から2年目までは、真っ青や真っピンク、真っ黒のハイパーロングとか、そういう感じの髪の子がけっこういました。そういう髪にしたかったら、普通の高校は合わないだろうなと。今でも奇抜な髪色の子はいますけど、大半はナチュラルブラウンや地毛の黒髪。いわゆる『普通』の高校生が増えました」（吉村さん）

一芸に秀でた生徒の割合も増えた。第1章で触れたように、フィギュアスケーターの紀平梨花選手を筆頭として、さまざまな才能を持つ生徒が集まってきている。

これらの生徒は、N高がスカウトしたわけではない。あくまで口コミやニュースなどからN高の情報を耳にし、自発的に入学を希望してきたのである。

受け入れるからには、サポートするのがN高の方針だ。特別奨学生の制度を設け、学業や文化活動、スポーツ活動で優秀な成績を収めている生徒の学費を免除することにした。対象となるジャンルは、囲碁や将棋、プログラミング、ダンス、作曲、テコンドー、パワーリフティング、華道など幅広い。

また、スポーツ分野に特化したコーチングサポートをおこなう「アスリートクラス」も設置した。アスリートは、競技と勉強の両立、心身のメンテナンスなど、共通した課題意識を持っている。それを共有しあい、教員が適切にサポートできるとわかれば、N高はよりアスリートから選ばれる学校になるだろう。

スタンフォード大学に留学した、トリリンガルの生徒

本書を執筆するにあたり、N高のさまざまな生徒に取材した。共通していると感じたのは自立心。枠にはめられることを良しとせず、自分で考え、道を切り開こうとする意欲がある生徒ばかりだった。

なかでも、4年前の取材では出会わなかったタイプの生徒として強く印象に残っているのが、成田美晴さんだ。成田さんには、N高の留学プログラムの一つである「スタンフォード大学 国際教育プログラム」に参加した生徒として話をうかがった。

これは約20年前からスタンフォード大学が高校生向けに開催しているプログラムで、世界各地の高校や教育機関から生徒を招待している。N高からは3名が参

加した。日本からは他に早稲田大学の付属校や慶應義塾大学の付属校、灘高校の生徒なども参加していたという。

もともと中高一貫教育の中学に通っていた成田さん。その学校は中高6年間のうち、全員一度は留学する機会を設けており、成田さんも留学を希望していた。2019年に新入生としてN高に入ってからも、留学を諦めていなかった成田さんは、N高の留学プログラムを選択肢として考え始めた。検討の結果、スタンフォード大学に興味があったため、このプログラムに応募することにした。

プログラムの参加者は、書類審査や英語面接によって選ばれる。成田さんは、父親の仕事の関係で4歳まで中国に住んでおり、英語と中国語を多少話すことができた。二度の面接を経て、成田さんはプログラム参加の切符を手にした。

プログラムの日数は11泊13日。現地では参加メンバーと共に宿泊施設に泊まる。基本的にはスタンフォード大学の授業を大学生と一緒に受講し、研究施設の見学やワークショップなどにも参加する。なかには、ラップ詞をつくるというユニークなワークもあった。

成田さんはなかでも印象的だったこととして、医学部の研究施設見学で脳の標本に触れたことを挙げている。「脳は手のひらに乗るサイズで、思っていたよりも小さかった」という実感のこもった感想を聞かせてくれた。当時、将来は医師を目指そうかと考えていた成田さんにとって、医学部の見学は特別な興味を持って臨んだものだった。


ほかにも、最終日にグループで「理想の国」というテーマのプレゼンテーションをすることが決まっていたため、グループメンバーとのディスカッションを毎日おこなっていた。もちろん、すべて英語だ。慣れない英語に加え、自分の意見を積極的に押し出す他国のメンバーに圧倒され、うまく話せないと悩んだこともあった。

「慶應の付属から来た高3の方が同じグループにいたんですけど、ディスカッションのあとに話しかけたら、やっぱりあんまり話せなかったって落ち込んでいて。

そのときは一緒に泣いてしまいました」(成田さん)

それでも、専門用語の多い大学の授業よりは、メンバーとのディスカッションのほうが聞き取れることが多かった。日が経つにつれ少しずつ、自己主張もできるようになっていった。

全体を通して英語を身につけることの重要性を痛感するとともに、幼い頃に習った中国語が意外と通じたことでも、語学力の大切さを実感したという。

「ルームメイトが台湾出身で、中国語が使えたんです。英語以外でも意思疎通ができるとだいぶ楽だなって。他にも中国、台湾、香港から来た参加者も多かったので、中国語が少しでも話せたことが役立ちました」(成田さん)

このときに仲良くなった中国出身の生徒とは、今でもSNSや通話などで交流が続いている。

「新型コロナの流行についても、中国は今どんな状況で、どんな対策をしているのかリアルタイムで聞いていたんです。留学プログラムに参加したことで、以前よりも海外に対して関心が向くようになりました」(成田さん)

友人に会いに中国を訪れたことで、フィンテック（Fintech：ＩＣＴを駆使した金融商品、サービスなど）にも興味がわいてきた。

「中国の都市部では支払いが自動化されていて、スマホ一つで決済できるようになってるんですよね。日本でもキャッシュレスは進みつつありますが、中国はもっと先に進んでいる。この技術をどうやったら日本に持ってこられるだろうか、ということを考えるようになりました」（成田さん）

今は仮想通貨や、そのベースとなっているブロックチェーン技術についても勉強しているという。

成田さんは中高一貫校に通っていたのに、なぜそのレールを外れてN高に入学したのだろうか。N高について知ったきっかけを聞くと、「同級生がN高に入学を決めたことと、父親が『ネットの高校、はじめました。』を読んでいたから」という答えが返ってきた。思いの外、N高の情報は身近にあったのだ。

成田さんはもともと「押し付けられるカリキュラムが嫌いで、自分で勉強のスケジュールを組みたいタイプ」だったという。「前の学校に通い続けるには、主体性がちょっと強すぎたのかも」と笑う。

現在は週5日のペースでキャンパスに通う通学コースに在籍。

「友達に会う場があることを親が重視していたんです。私としても、一人で勉強するより友達と一緒にやれたほうが楽しいし、やる気も上がるので通学コースがいいなと思いました」(成田さん)

通学コースのなかでも、大学受験に特化した「特進専攻」というクラスに属している。特進専攻は10人ほどの生徒が入れる専用の部屋があり、そこで毎日5時間ほど勉強している。

「他のスペースはけっこうにぎやかなんですけど、特進の部屋はみんな集中して勉強しているので居心地がいいですね。喋(しゃべ)りたい人は部屋から出ていくし、けじめをちゃんとつけられる人が集まっていると感じます」(成田さん)

成田さんは第1章に登場する「アクティブラーナー」でもある。筆者が見学した企業とのコラボレーション授業にも参加しており、テキパキとリーダーシップを発揮している姿が印象的だった。アクティブラーナー生には友人が多いようで、休み時間に席を移動し、「あのプロジェクトってどうなったの?」と近況を楽しそうに話し合っている姿も見られた。

成田さんはほかにも、株式会社メルカリとのコラボレーションプロジェクトに参加したり、「マイプロジェクトアワード」という全国の高校生を対象とした探求学習コンテストの東京大会に出場したりと、積極的に活動している。

「せっかく機会があるのだから、やってみないと」と、N高独自のプログラムに意欲的な姿勢をみせる成田さん。N高に入ったことで、総合型選抜も視野に入ってきた。

「前の学校は課題が多くて、課外活動で実績をあげる余裕はありませんでした。学校の方針としてもAO入試(現 総合型選抜)を推進していなくて、受けようという発想もなかったんです。でも、今は大学入試改革でAO入試の枠が増えてきていますよね。N高だと一般受験の他にもAO入試対策ができていいなと思い

ます」（成田さん）

N高に入って、友人の幅も広がった。

「友達になった子が、起業してバリバリ経営してたりするんです。前の学校だったら絶対なかったことです。みんな、勉強してるか遊んでるかどっちかでしたから。友達と電話してて『こういう事業始めようとしてるんだけど、一緒にやらない？』って誘われること、普通ないですよね。でもN高だとありえる。すごく刺激的だし新しいと感じます」（成田さん）

大学進学は一般受験と総合型選抜の両方をにらみつつ、留学も考えているという。

「できれば北京(ペキン)にある大学に留学したいと考えています。他の選択肢としては、英語力をさらに磨くために、慶應の経済学部のPEARL（Programme in Economics for Alliances, Research and Leadership）という英語で経済学を学ぶ4年間のプログラムに応募したいです」（成田さん）

取材のなかで、N高のことを「うちの学校」と呼んでいた成田さん。積極的に

N高を使いこなすなかで、当事者意識と愛校心が生まれているのを感じた。

職業体験が転機に。食の構造改革を目指す料理人高校生

従来の「高校生」のイメージを覆してくれたのが、料理人と高校生を両立している小曽根雅彰さんのケースだ。現在、小曽根さんは地元岐阜県の料理店で、フルタイム勤務をしている。親の扶養をはずれ、社会保険料も自分で払っているそうだ。今回は店舗の休憩時間に、オンラインで取材に応じてくれた。

経済的な事情があり、働きながら定時制高校や通信制高校に通うことはこれまでもあっただろう。しかし小曽根さんからは「やむを得ず」という印象を受けない。やりたいこととして昼は仕事をし、空いた時間に高校生もしている、というように見える。卒業資格取得のためのレポートも、難なく提出しているそうだ。

もともと全日制高校に通っていた小曽根さんからすると、N予備校で受講する動画授業は「簡単すぎる」と感じると言う。

「一種の作業みたいになっちゃってます。転校して動画の授業を見始めたときは、ちょっと面倒くさかったんですけど、よく考えたら50分くらいの授業で習うようなことを自分のペースで学べるんですよね。時間の使い方として、それは効率めちゃめちゃいいなと思いました」(小曽根さん)

午前中から夜まで働くことの多い小曽根さんは、休憩時間に授業を進めているそうだ。仕事先でも、スマホがあれば受講できる。「こういう働き方は通信制でないとできなかった」とN高に転校したメリットを感じているようだった。

小曽根さんは高校2年の5月まで、県立の専門高校に通っていた。その高校を選んだのは、調理師免許がとれる学科があったからだ。小曽根さんは、母親の手伝いをきっかけに料理に興味を持った。中学2年で祖父ががんでなくなったことも、料理の道へ進むのを後押しした。

「おじいちゃんはおいしいものが大好きで、がんになってからもおいしい料理を食べるときは笑顔になってくれたんです。自分がつくった料理で誰かを笑顔にできて、おまけに食生活で病気も予防できたらそんなにいいことはないですよね。それで、料理を学びたいと思いました」（小曽根さん）

その高校は料理を学べるのがよかったが、部活の人間関係が複雑で、揉め事が絶えなかった。小曽根さんも解決しようと動いてみたものの、良くなる気配がない。むしろ行動したことによって事態が悪化し、無理してそこに居続ける必要はないかもしれない、と考えるようになった。

「転校先は場所に縛られないところがいいなと思い、通信制高校を探しました。通信制といっても、レポートを提出して、たまに学校に行って、という普通のところじゃ楽しくなさそう。そこで、N高の説明会に行ってみたら、すごくおもしろそうだったんです」（小曽根さん）

キャンパスでの説明会で驚いたのが、N高の教員と生徒の関係性だ。

「通学コースの授業を見学したら、先生と生徒が一緒にテーマを探求して次につなげる学習をしていたんです。県立高校ではありえない光景だと思いました。前の高校では先生が絶対的に偉くて、先生と生徒の間には越えられない壁があった。でもN高はそうじゃないんだ、と」（小曽根さん）

自由でフラットな新しい高校。そう期待してN高に転校したものの、最初はうまく馴染めなかった。「ネットの高校」の勝手がよくわからなかったのだ。

「入学して3ヶ月くらいは、友達もいないし、Slackで話しかけるのもどうしたらいいかよくわからなくて悩みました。おまけに、転校と同時にフルタイムの仕事も始めたので、孤独と忙しさで倒れそうになりました」（小曽根さん）

そんな状況を変えたのが2019年11月に参加した「職業体験」だった。N高では、将来の仕事を考える一助になるよう、日本各地で職業体験ができるプログラムを用意している。事前学習、現地体験、事後学習の3つのフェーズから成り立っており、酪農、パティシエ、船大工、僧侶、イカ釣り漁、マタギ、温泉宿運営、自治体の観光職員、陶芸などさまざまな仕事や職種を体験できる。

小曽根さんが参加したのは、五島(ごとう)列島で民泊をして、民泊の家業体験や観光などを通じて五島列島の魅力を発見する内容のプログラムだった。プログラムのなかには、公民館での「キャンドルトーク」も含まれていた。キャンドルの光だけが灯(とも)る空間で、一人一人が3日間を振り返って、素直な気持ちを話す。そのなかで、これまで感じていた悩みを打ち明けることができたという。

「五島の方や一緒に参加した仲間たちが、『悩んでるならいつでも話聞くし、やりたいことがあったらなんでも協力するよ』と言ってくれたんです。これまでは一人で悩んで、掘り下げて考えるしか解決策はないと思ってたんです。でも、一人で抱え込まず、人に頼ったり甘えたりしてもいいんだと気づけました」(小曽根さん)

職業体験には全国からN高生が参加する。このときに、東京や福岡などさまざまな地域の友達ができた。12月には沖縄の伊計島の本校でおこなわれる「プレミアムスクーリング」に参加。ここでも沖縄や北海道、高知などに住む生徒と仲良くなった。同学年で40人ほどの友人ができたという。

「全国に友達ができて、一つの場所にとらわれる必要はないという思いが強くなりました。これは、地元の高校に通っていたら感じられなかったことだと思います」（小曽根さん）

そして、オンラインの町おこしに関するワークショップに参加したことが、小曽根さんが抱いていた食についての問題意識を一歩先に進めることになった。このワークショップは、担任の勧めで参加したという。

「もともと、食について生産者と消費者の関係性が遠いことが気になっていました。それは物理的にも、構造的にもです。長距離の輸送が前提だと、輸送に問題が発生したら、食料は生産されているのに消費者に届かず、最悪の場合廃棄されてしまう。これは実際にアメリカで起こっている問題だそうです。また、仲介業者を通すことで生産者に入るお金が少なくなってしまうのも気になります」（小曽根さん）

高校生とは思えない問題意識だが、小曽根さんは子どものうちから家庭で料理を担当し、スーパーマーケットで食材を買っていた。さらに食の現場で働いていると、この食材がどこから来ているのかということに自ずと意識が向くようになる。実体験から、社会につながる問題意識が生まれてきたのだ。

小曽根さんは職業体験後も、五島列島に住む人たちと連絡をとっている。2020年は食料の生産者とのコネクションをつくったり、流通の現場を知ったりするために、五島列島を中心として全国をまわろうと計画していた。しかし、それも新型コロナウイルスの感染拡大によって中止に。それでも、小曽根さんは諦めずに機会をうかがっている。

「1年間全国を旅したあとは、ベンチャー企業に勤めて経営について学びたいと考えています。そのうえで、消費者と生産者の関係を近づける会社を立ち上げられたらいいな」(小曽根さん)

N高に入って起業の道へ。高校生のうちからパラレルキャリアを目指す

小曽根さんの転機となったのは職業体験だった。この職業体験は初年度から全国で18のプログラムが用意されており、「人生観が変わった」「体験したことを仕事にしたいと考えるようになった」といった声が寄せられてきた。

中澤治大さんも、職業体験をきっかけに将来の選択肢が開けた一人だ。職業体験後、起業の道へ進み、アプリ制作や中高生向けのキャリアイベント開催、企業のカスタマーサポート責任者、そしてヤフー株式会社の事業プランアドバイザーと、多岐にわたる活躍を続けている。

中澤さんは、父親に勧められてN高進学を検討した。中澤さん自身は全日制高校への進学を考えていたが、N高の説明会に参加した際に「自由でフランクな感じがめちゃめちゃいい」と、考えが変わった。

当時、「個性」と呼ばれる特殊能力で世界を救うヒーローアニメ「僕のヒーローアカデミア」をよく見ていた中澤さん。「自分も普通の高校生じゃなくて、突出した個性で輝きたい」と思い、N高に進学することを決めた。当時のことを中澤さんは「中二病みたいなものですね」と照れたように振り返る。

父親はN高に通わせたい。しかし母親は、通信制で自宅学習をするのではなく通学してほしいと願っていた。二人の希望をかなえるために、中澤さんは週5の代々木キャンパス通学コースを選択。通学コースの学費はネットコースよりも高額なため、母親は「N高に行くのはいいけど、ちゃんとやりなさいね」と釘を刺した。

「やる。その分の実績は出すから」と宣言し、意気揚々と入学した中澤さん。ところが、すぐに同じキャンパスに通う彼女ができ、勉強に身が入らなくなる。髪も金髪にし、完全にチャラ男のリア充高校生になっていた。

高校生の恋愛は儚いもので、彼女とは夏に参加した沖縄・伊計島本校でのスクーリングで破局。このままではいけないと思っていた夏の終わりに、北海道稚内市で実施された酪農の職業体験に参加した。

体験自体がおもしろく、また職業体験プログラムを担当する職員からビジネスについて教わったことから、この体験をなにか形に残したいと考えるようになった。そこで中澤さんは、酪農家の営業をサポートするアプリを開発することにした。

このようにN高では職員や課外授業の特別講師、部活の顧問として関わるプロフェッショナルなど、教員以外の大人と接する機会が多い。これも、仕事に対する解像度を上げる一つの要因になっている。

さらに酪農アプリでビジネスコンテストに参加しようと考えた中澤さん。しかし、これまでそうしたコンテストに応募した経験はなく、どうすればいいのかまったくわからない。中澤さんは、N高のあらゆる知り合いに、「ビジネスコンテストの事業プランの書き方を教えてくれないか」と聞きまわった。すると、酪農体験に一緒に参加していた友人が「知り合いの社長を紹介するよ」と言ってくれた。そして、その社長は丁寧に事業プランの書き方を教えてくれたという。

「俺に教えても何の得もないのに教えてくださって、本当にありがたかったです。そのときに、市場の捉え方や事業成長の仕組みについてうかがって、事業をつくりだすことのおもしろさに気づきました」（中澤さん）

このあたりから、起業家の集まるイベントに多く顔を出すようになった。起業イベントに参加する高校生はめずらしく、みんな親切にしてくれる。そこで出会ったＩＴ企業の社長に直談判し、インターンとして雇ってもらったりもした。このインターンでは、実績を出してカスタマーサポートの責任者にも抜擢された。

そんな矢先、同じキャンパスに三橋龍起という転校生がやってくる。彼は15歳で父親を亡くし、持病での入院を経て、「世界中の人々が夜寝る前に『明日も楽しみだな』と思える社会をつくる」という志を持ってＮ高に入ってきた。それまで社会人に交ざって活動し、「自分は他の高校生より上なのでは」と少し天狗になっていた中澤さんは、彼に会って「恥ずかしくなった」と語る。

「入ってくる前から『すごい子が来るよ』と話題になっていたんです。会ったら本当に人格者で、インターンも当たり前のようにやっていた。彼には絶対勝てないなと衝撃を受けました」（中澤さん）

そこから、三橋さんと一緒に中高生向けのキャリアイベントを企画。当初予定していた一橋（ひとつばし）講堂での開催は、新型コロナウイルス感染拡大の影響を受け断念したが、2020年6月にオンライン配信で開催。約300人の高校生が参加した。7月にはオンライン、オフライン併用のイベントを開催した。これらのイベントの運営はすべて現役高校生でおこなっている。今後は三橋さんと株式会社を登記する予定だ。

中澤さんは自分自身の会社を経営し、三橋さんとの会社を準備しながら、2020年12月にはヤフー株式会社が実施したギグパートナー（副業）の募集に応募。4500人以上の応募者から選ばれ、事業戦略などの立案を担当する事業プランアドバイザーの一人として参画することとなった。「コロナ禍で目まぐるしく変化する世の中に対応し、高校生・学生起業家という観点からフレキシブルな提案をおこないたい」と語る中澤さん。

「N高に入らなかったら、今の自分はありません。N高にはいろいろな恩を受けているので、ビジネスを成功させてその恩を返したいですね」と言う姿は、N高の生徒というより、もはやOBのようだ。目まぐるしいスピードで成長している中澤さんは、今後どんな活動をしていくのだろうか。期待して見守りたい。

学業優秀なフィギュアスケーター、大学受験とスケートを見事に両立

2019年の全日本フィギュアスケート選手権で3位入賞の実力を持つ川畑和愛さん。彼女こそが、紀平梨花選手がN高に入学するきっかけとなったフィギュ

アスケーターだ。大会のアナウンスで川畑さんが所属するN高の名前が流れ、それを聞いた紀平さんはN高に興味を持ったのだという。

川畑さんは小学1年からフィギュアスケートを始めた。小学校の頃からスケートの練習や大会で、遅刻や早退を繰り返していた。中学は、宿題や期末試験、クラス担任制の廃止など先進的な取り組みで知られる進学校・麹町（こうじまち）中学校に進学。勉強をがんばりつつも、やはり練習による遅刻や早退は避けられなかった。

「学校に通うのが好きで、友達と一緒に授業を受けるのも好きでした。でも、フィギュアをやっていると、どうしても中途半端にしか通えない。そういう後ろめたさを常に抱えていました」（川畑さん）

成績はトップクラス。高校受験は都立の進学校が狙えると言われており、私立の推薦ももらっていた。しかし、「ちゃんと通えなかったらどうしよう」という不安は拭（ぬぐ）えなかった。そこで最終的に視野に入ってきたのが、通信制高校という選択肢だった。時間の融通がきくため、通信制に通っているアスリートは多い。

「通信制に通うことについて、正直、戸惑いもあったんです。全日制の学校しか進学先として考えたことがなかったから。でもN高はN予備校など他の通信制にはない新しい仕組みやプログラムがあると知って、前向きに考えるようになりました。高校卒業資格をとるためだけに通信制に行くのではなく、N高を活用してしっかり勉強できそうだと思ったんです」（川畑さん）

入学したのは2017年。ちょうど、通学コースが新設された年でもあった。「学校に通いたい」という希望を持っていた川畑さんにとって、通学コースは魅力的に映った。

担任だった石井郁子先生は、「和愛ちゃんは、スケートの練習の合間のちょっとした時間にもキャンパスに来てくれていました」と振り返る。

「スケート靴の入った重たいキャリーケースをガラガラ引っ張って、登校していたのを思い出します。短時間で集中してN予備校で勉強し、また練習に行く。数ヶ月経ったら他の生徒もすっかりその光景に慣れていました」（石井先生）

忙しい中でも、できるだけ行事にも参加した。キャンパスごとに開催される文化祭のようなイベント「キャンパスフェスティバル」には1年目、2年目と参加し、チョコバナナや焼きそばを調理して売った。校外学習で江の島に行き、海で遊んだこともあった。勉強とスケートだけでなく、高校生として学校生活を楽しむこともできたのだ。

N高に入学した当初は動画での授業に慣れなかったが、2年目からはペースをつかんで受験勉強を進めることができたという川畑さん。また、2年目からアクティブラーナー制度ができたことも大きかった。アクティブラーナーになると、通学コースでもフィギュアスケートの活動に合わせて自由に時間割を組むことができる。さらに、2年目からは大学受験に特化した「特進専攻」コースができ、質問がしやすくなったほか、勉強のスケジュールに対するフィードバックなども細かくもらえるようになった。

「先生たちのサポートがすごく身近に感じられるようになりました。スケートの忙しい時期なども考慮してくださって、科目毎に受験向けの学習計画を立てても

らえたんです」(川畑さん)

フィギュアスケートの大会は、主に秋から年をまたぎ春にかけておこなわれる。それは、受験のピークとスケートのピークが重なることを意味する。それでも、川畑さんはどちらも力を緩めることなく取り組んだ。石井先生は、川畑さんの試合と受験の日程がかぶらないかハラハラしていたという。

スケジュールは夏から綿密に組んでいた。9月頃には私立大学のアスリート入試を受け、11月頃には早稲田大学のAO入試を受けた。第一希望は国立大学に決め、推薦と一般入試の両方を受けることにした。推薦入試やAO入試の書類の準備や面接練習、センター試験の対策、二次試験の対策……そこにスケート練習が入ってくるというすさまじい状況。しかし、川畑さんはスケートと受験、どちらも手を抜かなかった。そして、12月に全日本選手権で3位に入賞。友人たちや関わりのある教員、職員は「快挙だ」と川畑さんのがんばりを称えた。

２０２０年3月に卒業し、最終的に早稲田大学の社会科学部へ進学することを決めた川畑さん。大学で学ぶなかで、改めて受験勉強の意味を感じたという。

「レポートや小論文を書く機会が多く、ＡＯ入試や推薦の準備で文章の書き方を教えてもらえたことが役立っていると感じます。また、センター試験のために理系科目も勉強したので、授業で数学的要素が出てきても、『基礎知識があるから考えればわかるはず』という自信が持てます」（川畑さん）

川畑さんがN高に入ったことの波及効果は大きい。麹町中学校はかつて、東大合格者数全国1位だった都立日比谷高校に多数の合格者を出してきたことから、我が子にエリートコースを歩ませたい親に支持される学校であった。そうした所以を持つため、これまで進学先として積極的に通信制高校を選ぶ生徒はほぼいなかった。ところが川畑さんがN高に進学してから、麹町中学校からN高に進学する後輩が続々と現れてきた。

石井先生は、「麹町中から入ってくる子たちは、和愛ちゃんのようになにかをがんばっている子が多いですね。海外向けに情報発信している子や、未踏ジュニアに採択されるような子などが入ってきています」と語る。川畑さんは、自分の影響だけではなく、麴町中学校の改革を進めた工藤勇一元校長がN高に好意的であることが大きいのではないかと分析している。

また、「N高ってどうですか?」とフィギュアスケートの後輩に聞かれることも増えたという。

「フィギュアスケートは練習時間がイレギュラーで、学校に通いづらいスポーツ。私みたいに遅刻や早退が多くて通うのが大変だと感じている子が、通信制に目を向け始めている状況です。さらに、私はちゃんと勉強したいと思ってN高に入り、大学受験をしました。同じように勉強もがんばりたい子が参考にしたいと思ってくれてるのかもしれません」(川畑さん)

石井先生が「取材などで、よく『受験とスケートを両立します』と答えていたのも大きかった」と補足する。

「しかも自力で早稲田に受かったのだから、同じように大学進学を考えるアスリートにとってはモデルケースのように見えているのだと思います」（石井先生）

中学生の頃からフィギュアスケートと勉学、どちらも実績を出してきた川畑さん。今も、興味のある授業を積極的に受講するなど勉学に励みながら、強化選手として2022年の北京オリンピックを目指してがんばっている。

進学校からN高へ。自由な時間を活用し、独学で京大に合格

受験という観点で、もうひとり生徒を紹介したい。第1章でも取り上げた、N高から東大・京大合格者が出たという変化。その京大合格者の一人、松下恵大さんだ。彼は「一匹狼」を貫いて、現役合格を勝ち取った。

松下さんは、京都府内の偏差値ランキングトップ3に入る進学校に通っていた。しかし、途中から不登校気味に。文系理系のクラス分けで文系を選んだところ、そのクラスの雰囲気があまり合わなかったのだという。教室から足が遠のき、進級に必要な出席日数も危うくなり、松下さんは通信制の高校への転校を考え始めた。

進学校をやめる決断をしたとき、周囲はどういう反応を示したのだろうか。同級生には、「めっちゃ驚かれた」。しかし、松下さんは「無理して通い続けることもない」という割り切った気持ちだったという。両親も強く反対することなく、松下さんの選択を尊重した。

「僕、中学受験をして中高一貫校に入ったんですけど、あんまり行かなくなって、高校は受験し直して別のところに入ったんですよね。こういうことは2回目なので、親は驚きませんでした」（松下さん）

転校先は主に両親が調べた。その候補の一つとして、N高があった。説明会に行った際に、革新的で自由な雰囲気を感じ、「ここがいい」と高校2年の8月に転入。

毎日授業があった前の学校とは違い、N高では自分で学習のスケジュールを組み、進めなければいけない。

「人間って怠惰なものですね。通学しなくなったら、途端に勉強しなくなりました」（松下さん）

松下さんは勉強が得意な方の学生だと思われるが、自己管理だけで学習を進めるのはより難易度が高いということか。24時間自由に使えるようになって、まず増えたのは睡眠時間だった。毎日10時間以上寝たうえで、食事や入浴など日常生活に必要なことをするだけで時間が過ぎていく。そして空いた時間はアニメを観ていた。「周りのみんながんばっているから」というモチベーションも、ネットコースだとわいてこない。そのまま夏が終わっていった。

だらだらしながらも、「これではいけない」という気持ちは持ち続けていた。生活を変えるきっかけになったのが、新聞配達のアルバイトだ。自転車で京都の町を走り、夕刊を配ってまわった。高校2年の後期からは、そのアルバイトで稼いだお金で予備校にも通った。

「新聞配達は、前の学校にいたら絶対できなかったことですね。受け持つ地区によって報酬は決まっていたので、できるだけ短時間で終えることで時給を高くするというゲームのように考えてやっていました」（松下さん）

「バイトはいい経験になった」と振り返る松下さん。ほかにも「一人の時間が増えたことで人生についてゆっくり考えたりもしたし、行ってみたかったところに一人旅したのも楽しかった」と、ただのんびりしていただけでなく、存分に与えられた時間を有意義に過ごしたようだった。

京大受験を決めたのは、センター試験の後だった。それまでは東大を受けようと考えていたそうだ。しかし、京大の合格確率のほうが高そうだと見て気持ちを切り替えた。志望学部は農学部。センター試験の理科のうち1科目は地学で受けた。N高に入ってよかったことの一つが、地学で受験できたことだと松下さんは言う。

「中学生のときから、理科の中で地学が一番好きでした。ただ、地学を選択したくても、高校によっては授業を実施しないことがあります。僕のいた高校も、理科は化学が必修でもう1科目は物理か生物の二択でした。せっかくN高に転校したんだから、好きな地学をちゃんと勉強して、センターも地学で受けようと思ったんです」(松下さん)

ほかにN高生として難関大学を目指すのは、どういったメリット、デメリットがあるのだろうか。そう聞くと、松下さんは「N高の受験サポートはほぼ使わなかったので、よくわからない」と正直に言ってくれた。ただ、合格後にネットコースの特進専攻の人と話したことで、サポートは受けておいたほうがよかったのかもしれないと思ったという。

「完全に一人で勉強するのって、けっこうきついんですよね。定期的に進捗を報告する相手がいるだけでだいぶ違ったのかなと思います。あんまり口出しはされたくないんですけど、適度に自慢させてほしいというか。今やっていることを報

告する相手がいるだけで、気持ちが楽になったかもしれません」（松下さん）

松下さんは、数学と物理は定期的に予備校に通い、英語と現代文は別の予備校で短期の講習を受けていた。このように予備校や塾に通えば学ぶ内容は足りる。しかし、何の教科をいつまでにどのあたりまで進めておくかなど、ペース配分を一人で考えて管理するのは難しかった。

「そこはN予備校とかも使っておいたほうがよかったかもしれないです。僕は最初から『我が道を行く』と決めて、あんまりN高のサポートを利用しなかった。N高の後輩たちには、そう頑（かたく）なにならずなんとかうまくやってほしいものです」（松下さん）

それでも、松下さんは、「全日制の高校に馴染まないが難関大学を目指したい人にとって、N高はうまく使えば武器になる」と語る。

「全日制でも、よほど受験に特化した学校でない限り、学校の授業と受験勉強は関係なかったりしますよね。N高生は、他の高校生が授業を受けている時間で受験勉強を進められるので、ちゃんとスケジュールを立てて勉強できたら有利だと

思います」（松下さん）

「人と関わりたくない」から「友達も先生も大好き」に変わった

入学当初は松下さんのように「一人で卒業する」「教員とも生徒とも関わらない」という気持ちを持っていたのに、いつしかN高の教員や同級生と仲良くなって、人生が変わった人もいる。

中学1年から人間関係が原因で不登校を続けていた福田華菜さんは、通信制に絞って進学先を探していたときにN高を見つけた。他の通信制高校の説明会も行ったが、そこで会った教員の感じがよかったことと、課題やレポートなどがネット上で完結することに好印象を持ち、N高に決めた。そして、2017年に新入生として入学した。

「入学したときは、Slackなんて使わない、同級生とも絶対関わらないって決めてたんです。ひとりで勉強を進めて、高校の卒業資格だけとれればいいやと思っていました」（福田さん）

担任の菊川（きくがわ）先生から、挨拶（あいさつ）を兼ねた連絡がきたときも電話に出られなかった。

「当時は、男の人全般が無理で、電話も嫌いでした。だから知らない男の人と電話で話すなんてとてもじゃないけどできなくて、『嫌だ、出たくない』って泣いてしまったんです。それで、お母さんに対応してもらいました」（福田さん）

菊川先生によると「電話が無理」という生徒は、毎年何人かいるそうだ。そういう場合は、電話することが目的ではないため、無理強いはせずに、Slackのチャットで確認事項などを伝えるという。

こんなふうに始まった福田さんのN高生活だったが、早々に「誰とも関わらない」という決意は崩れていく。一応、クラスのSlackのホームルームを覗（のぞ）いてみたところ、思わず見入ってしまった。担任の菊川先生が自己紹介を兼ねて「NG

なしの質問大会」を開催していたのだ。
「自分の給料だけは契約上言えないことにして、それ以外は何でも質問を受け付けました」（菊川先生）
菊川先生のあだ名「キクラゲ先生」（後にクラゲ先生）にちなんで、「先生は天然ですか、ハウス栽培ですか」といったシュールな質問や、「武勇伝を教えてください」といった質問まで、さまざまな質問が生徒から投げかけられ、菊川先生がポンポンと答えていた。しかも質問が30個以上きたら、菊川先生の昔の写真を公開するというご褒美つきであった。
「最初のホームルームだったので、自分を知ってもらいたいなと思ったんです。知らない先生よりは、知っている先生のほうがやり取りしやすいでしょうし。最初のうちはなるべくホームルームで、自分のことを積極的に話すようにしていました」（菊川先生）
このときのホームルームが楽しくて、Slackのクラスチャンネルを頻繁に訪れるようになった福田さん。菊川先生の人柄がわかり、電話も徐々に対応できるようになっていった。

福田さんが菊川先生と初めてオフラインで会ったのは、N高の文化祭でもある「ニコニコ超会議2017」（4月29日、30日開催）だった。初対面の先生は、ちくわを振り回していた。

「クラスの生徒のほとんどとは超会議で初めて会うので、僕の顔がわからないだろうと思ったんです。写真で見たことがあっても、本人と認識するのって難しいですし。それでなにか目印を持っていくことになったんです。Slackで意見を募ったらクラゲのきぐるみなどいろいろ案が出たんですけど、そのなかにちくわがあったのでそれを採用しました」（菊川先生）

生の食材の持ち込みがダメだった場合を想定し、ちくわがついているおでんのキーホルダーも準備した菊川先生。当日N高の本部長に許可され、無事にちくわを持って生徒たちを待つことができた。

「超会議で、初めてリアルホームルームをやったんです。同級生の子たちとも

『はじめまして』って挨拶して。最後にクラゲ先生がちくわを笛にして吹いてくれて、爆笑しました」（福田さん）

「僕が受け持っていた生徒たちは、愛知など中部地方の生徒だったので、東京の超会議に来るのはけっこう大変なことなんですよね。せっかく来てもらうんだから、生徒の前で芸を披露できたらいいなと思って、ちくわの笛を家で練習したんです」（菊川先生）

前日の練習時にはちゃんと音が鳴ったのに、当日はす〜っという気の抜けた音しか鳴らなかった。当日の様子を動画で見せてくれた福田さんは、思い返すだけで笑いが止まらないようだった。楽しい思い出として記憶されているのが伝わってくる。

菊川先生が初めて担当したこのクラスはとても仲がよく、クラスのオリジナルキャラクターまで生まれた。そのグッズを制作して超会議で売ることになり、福田さんはその実行委員に立候補した。実行委員のメンバーが決まったのは、超会議の企画応募締め切りの3日前。メンバーは夜遅くまでSlackの通話機能で話し合い、企画書は締め切りぎりぎりで間に合った。

超会議へのクラス単位の出展はめずらしい。菊川先生は「クラス内で、そういうことを一緒にやりたいと思える仲間ができたことがすごくうれしかった」と語る。

しかし、福田さんは実行委員を務めるなかで、どんどん自信を失い、途中で「やめたい」と申し出た。そのとき、周りの友人たちが「大丈夫だよ」「バックアップするから」と励まし、福田さんも気を持ち直して「がんばります」と宣言。見事、最後までやり遂げた。

「『友達をつくらない』という決意は早々に崩れました」と笑う福田さん。ホームルームには毎回参加し、オフ会にも何回も参加した。公式のオフ会だけでなく、友達になった子たちと自主的に集まることも何回かあった。そんなときは遊んでいる様子を写真に撮り、菊川先生に送る。

「リアルではたまにしか会えないから、その時を全力で楽しむんです」（福田さ

ん）

通信制高校では、同級生が同年齢とは限らない。オフ会で集まる友人のなかには、年上の男性もいた。入学前の福田さんが知ったら驚くだろう。

卒業式で会いたかった——ネット上でも教師と生徒の絆は育まれる

入学して数ヶ月が過ぎ、徐々に人とのコミュニケーションに慣れてきた福田さんだったが、初対面の人と長時間を過ごすスクーリングはハードルが高かった。1年目は東京のキャンパスで参加したが、5日間のうち5日目の昼休みというあと少しのところでリタイアしてしまった。

「ぎりぎりまでがんばったんですけど、もう限界で。キャンパスから逃げ出して、泣きながら山手線（やまのて）に乗ったのを覚えています」（福田さん）

それでもスクーリングは受けなければ卒業できない。残りのテストは、名古屋開催のスクーリングで受けることにした。そこには同じクラスの友人もおり、楽しく過ごすことができた。

2年目のスクーリングは、友人たちと沖縄・伊計本校のプレミアムスクーリングに参加することにした。今回はつつがなく……とはいかなかった。教室で授業やテストを受けるメンバーは、同じクラスの人だけで構成されているわけではない。知らない生徒に囲まれた福田さんは、その人たちが授業中に騒がしくするので、巻き添えで先生に怒られたらどうしよう、といった不安と憤りで心がいっぱいになってしまった。

しかし今回の場所は沖縄。容易に脱走することはできない。そこで福田さんはいったん図書室に避難し、菊川先生に電話をして助けを求めた。

「相談してくれたのは、大きな進歩。僕から養護教諭に事情を話して、そのクラスにいる福田さんの友人に迎えに来てもらうよう手はずを整えました。相談してくれれば、こうして解決策を提案することもできるんです」（菊川先生）

N高には、高校に入り直した18歳より年上の生徒もいる。福田さんを迎えに来てくれた友人は20歳を過ぎており、いつも姉のような気持ちで福田さんのことを気にかけていたのだという。友人に支えられて福田さんは、沖縄でのスクーリングを終えることができた。

菊川先生はもともと全日制高校の教員だった。菊川先生にとって、福田さんのクラスはN高に赴任して初めての学級担任。2年間連続で担当した生徒の卒業は、3ヶ月前からさびしかったという。

「このクラスは本当に『いいやつら』でしたね。考え方もしっかりしていたのが印象的です。クラスのホームルームで、人権問題や性、LGBTなどの少し難しいテーマも扱っていたんですけど、マイノリティの権利を尊重するのは当たり前という意識を持っていて、そこから一歩踏み込んだ議論ができました。そんなクラスは、全日制の担任時代を含めても初めて担当しましたね」（菊川先生）

担任を外れても、このときの生徒のレポートの提出状況などを確認し、時々

Slackで連絡をすることもあった。それだけに、2020年の卒業式が完全にオンライン開催になったことは、残念だった。

「最後は会っていろいろ話したかったんですよね。仕方ないとはいえ、悲しさを超えてなんだかむなしくなってしまって。しばらくシュンとしていました」（菊川先生）

N高に入って一番良かったことは、やはり「友達ができたこと」だという福田さん。

「毎日会わないからかもしれないけど、とにかく一緒に話すだけですごく楽しかった。でも、楽しさだけじゃなくて、人と関わる大変さも含めて知れたのがいい経験だったと思います」（福田さん）

福田さんは今、専門学校に進学し、東京で暮らしている。このオンライン取材で久しぶりに菊川先生と通話した福田さんは、最後に「先生、あんまり食べ過ぎちゃだめだよ」と気遣う一言をかけて退出していった。卒業しても、変わらない絆(きずな)があることを実感した取材だった。

ネットコースと通学コース、そのギャップを埋めるもの

松下さんと福田さんは同じネットコースに在籍していたにもかかわらず、二人のN高との関わり方は対照的だ。松下さんはSlackをほぼ使用していなかったため、N高の他の生徒との交流はほとんどなかった。もっぱら、以前通っていた学校の友達と話したり遊んだりしていたという。担任とのやり取りも、必要事項の連絡以外はしていなかった。

一方、福田さんはSlackをフルに活用し、担任やクラスメイトとの関係を深めていった。卒業するとN高のSlackのワークスペースには入れなくなるため、友人とのやり取りはLINEに切り替えた。しかし、やはりSlackのほうが便利だった

と感じ、今はは個人でSlackのワークスペースを立ち上げ、友人とやり取りしているという。

Slackを活用して24時間体制でチャットに興じる生徒もいれば、入学から卒業までほとんどSlackを使わない生徒もいるのが現状だ。入学時にN高で使用するICTツールの使い方は一通り教えられるものの、クラスやグループのチャンネルに書き込むのは心理的ハードルが高いと感じる生徒もいるのは当然だろう。Slackでのやり取りに気後れする生徒や、馴染めない生徒へのサポートはネットコースにおける課題だと考えられる。

全体の傾向として、通学コースはN高に通うメリットを得やすく、ネットコースは生徒の積極性に左右されるところが大きく見える。通学コースとネットコースでは学費も違うので、当然かもしれない。

キャンパスには定員があり、全員が通えるわけではない。通える範囲にキャンパスがない生徒もいる。もちろん、全員が通学することが望ましいとは思わないし、通学しないで学習したいという生徒の希望も尊重すべきだ。ただ、せっかくN高に入ったのに、卒業資格をとるための動画授業を視聴するだけの高校生活になってしまうのはもったいない。

この通学コースとネットコースの差を、N高は両方の良さを活かしつつ埋めていこうと試みている。それが、2021年からスタートする「オンライン通学コース」の設置だ。

名前の通り、「オンライン」で「通学」するこのコースでは、ネット上で通学コースのようなプログラムが受けられる。新型コロナウイルスの感染拡大で、通学コースをオンラインに一時移行したことにより実現が可能だと判断したそうだ。

このコースの生徒は、キャンパスには通わない。その代わり、ネット上で教員や他の生徒と定期的に対面し、グループワークでプロジェクト学習などをおこなう。ネット上の「学習室」も開設されるため、学習面での質問や相談もしやすくなるはずだ。

あらゆる生徒に対し、N高のメリットが享受できるようなサポートやシステムを構築する。これは、生徒数が増えれば増えるほど解決が難しくなる課題だ。しかし、N高はテクノロジーでそれを解決してくれると期待している。

N高の独自プログラムと人との出会いによって、行動力の塊に

4年前の取材で、全日制の学校にはうまく通えなかったが、N高に入って自分らしさを発揮できるようになったという生徒に何人か会った。そのパワーアップしたケースであり、人生に絶望していたところから南・東南アジア横断を目指すまでアクティブになったのが石井翔さんだ。

石井さんは、小学6年の頃から朝どうしても起きられなくなった。困って病院に行くと、起立性調節障害と診断された。人間関係などには問題を感じていなかったが、中学に入っても学校へ行けない日々が続いた。

「数日学校を休むと、クラスでは『なんであの人来ないんだろう』って雰囲気になるし、休んでる本人は『サボってると思われてるんじゃないか』と悪い方に考えてしまう。登校を再開するのが難しいんですよね。当時は『学校へ行かなきゃ』と思えば思うほどプレッシャーがかかり、不安で眠れなくなりました。そうすると、また朝起きられないので悪循環。兄姉たちはみんな普通に学校に行っているのに、僕だけが行けない。自分は失敗作なんだと思っていました」(石井さん)

高校は朝起きなくてもいい通信制か定時制に通おうと考え、ネットで検索をしているときにN高を知った。地元の通信制高校も調べてみたものの、名前のインパクトに惹かれてN高を選択。卒業資格取得の授業がネットで完結していることや、プログラミング教育に強いところも好感を抱いた。

コンピューターが好きで、入学前からネットには親しんでいたが、1年目はやはりネットの高校に対する戸惑いは否めなかった。SlackやN予備校も使いこなせず、とりあえず卒業資格取得のための授業だけをなんとなくこなして終わった。

これではいけないと、2年生になってからN高のワークショップに参加してみた。すると、そこに来ている人たちと仲良くなり、さまざまな情報が入ってくるようになった。

「1年生のときもTwitterでN高生を見つけて友達になったりしていたんですけど、やっぱ浅い関係っていうか、ネットの交流だけで終わってしまったんですよね。実際に会うとより仲良くなれるし、ワークショップに参加するような子ってアクティブで、別のプログラムにも参加していたりする。『今度こういうのがあるよ』という話も入ってきやすくなって、N高の使い方がうまくなっていきました」(石井さん)

そうして、職業体験や、探求学習の全国的な取り組みである「マイプロジェクト」にも参加した。それまでは茨城に住んでいたが、イベントやワークショップに頻繁に参加するようになると不便を感じ、高校2年の夏には東京に住んでいた姉を頼って上京した。

ワークショップでは、人生を変える出会いもあった。日本と韓国のミックスのN高生と出会い、意気投合。その人から「今度、アルバイト先の人とタイ旅行に行ってくる」と聞いたとき、石井さんは大きな衝撃を受けた。

「それまで全然海外に興味がなかったし、もちろん行ったこともなかったんです。でも、高校生でもパッと行けるものなんだ、と思ったらめちゃめちゃ行ってみたくなって、話を聞いた夜にネットでベトナム行きの航空券を買っちゃいました」(石井さん)

ネットコースのN高生は、スケジューリングが自由だ。海外旅行もいつでも行ける。夏休み前の閑散期だったこともあり、往復3万円で航空券のチケットが取れたという。

初めての海外旅行は、予約していたホテルが工事中というトラブルから始まった。

「着いてみたら、ガンガン工事してて泊まれる雰囲気じゃないんですよ。作業員さんに直接聞いてみたら、『別のホテルに泊まれ』って言われて、その人が連絡

してくれた迎えの人に違うホテルに連れて行ってもらいました」（石井さん）

そこからの旅はスムーズに進み、現地で友人もできた。偶然、2日連続で会ったハノイの大学生と、翻訳アプリを使って会話をし、仲良くなったのだ。

このベトナム旅行で海外旅行の楽しさを知った石井さんは、2ヶ月後、きっかけとなったN高生の友人とタイに向かった。

「タイは、物静かなベトナムの人たちと気質が違って、陽気な人が多いんですよ。みんなめっちゃ話しかけてくれるので、人気者になった気分でした」（石井さん）

2週間のタイ旅行は、途中で体調が悪くなり、スリにあいそうになるなど、苦難も多かった。

「でもいろんな大変なことを乗り越えて最終日を迎えると、ものすごく感動するんです。それで、また行きたい、他の国にも行ってみたいっていう気持ちが強くなる」（石井さん）

次は東南アジアを横断して、インドに行くという壮大な計画を立てた。新型コロナウイルスの感染拡大で、計画はストップしているが、海外への熱意は冷めていない。

石井さんは、文化祭実行委員の副委員長にも選出されている。２０２０年はネット開催になってしまったが、本来は会場来場者数が15万人を超えるニコニコ超会議にブースを出し、販売するフードやイベントステージの内容、招待ゲストなどを決める重要な役回りである。どうして実行委員に立候補したのかと聞くと、

「そのときは、海外旅行も行ったし、マイプロ（ジェクト）もやっていて、自信があったんでしょうね。『どんと来いや』という謎の勢いがありました」と笑って答えてくれた。

今はこうしてアクティブな学校生活を送っているが、中学生のときは人生に絶望していたという。

「学校にすら行けないなら、何もできないんじゃないかと思っていました。やっぱり、学校に毎日行って、高校、大学と進学して、就職するというのが正規ルート、一本道だと思っていたので。そこから外れた時点で、人生終わったなって」

（石井さん）

しかし、N高に行ったことで既存の価値観にとらわれなくなった。

「世間の目が気にならなくなりました。自分なりにどう良く生きるかが大事なんだなと思って、変にネガティブにならなくなったんです。あとは行動力が意外とあるなど、自分のいいところを見つけられました。自分の武器がなんなのか、わかった気がします」（石井さん）

石井さんは、自分が変化した要因は二つあると考えている。一つは、N高のプログラムに参加したこと。ワークショップや職業体験、探求学習の「ネットの高校マイプロジェクト」などは、強みを磨くこと、将来の職業につながる興味喚起、表現スキルの上達などを目的としている。

「ただ参加するんじゃなくて、プログラムの狙いにうまく乗っかれたというか、自分なりに解釈して必要なスキルを身につけることができました」（石井さん）

あとは、友人の多様性だ。

「地元の友達って、みんな同じ感じだったんです。学校通って、ゲームセンター行って遊んで、インスタにアップしたりして。N高生だと、海外行ってきたとか、起業しようとしてるとか、本当にいろいろなことをしている人がいるんです。たまに会って近況報告すると、『うわ、こんなすげぇことやってるんだ』ってびっくりします。それで、自分も負けないようにがんばりたいって気持ちが、めちゃめちゃ出てくるんです」（石井さん）

高め合える友人に出会えて、世界が広がった石井さん。N高に合う人はどんな人か聞くと、おもしろい喩え（たと）で返してくれた。

「ひな鳥みたいな性格の人は合わないと思います。N高は口を開けて待ってたら、餌を運んでもらえるというものではないからです。僕もポカーンと待っていたときは、何も起こらなかった。でも、自分で動いたらどんどん活用できるようになりました。狩りに出る人、自分から何かを取りに行く人はすごく楽しめる学校だと思います」（石井さん）

N高でプログラミングを学び、コンテストで優勝するまでに成長

第1章で、N高の利点の一つとしてプログラミングが学べることを挙げた。N高には「通学プログラミングコース」というオリジナルのカリキュラムを学ぶコースが用意されている。コースをとらなくても、N予備校を使えば好きな時間にプログラミング学習を進められる。N予備校のプログラミングコースは、受講者もコメントなどで参加できる双方向型の動画授業を可能にした新規性や独自性が評価され、２０１８年に「第15回日本e-Learning大賞」文部科学大臣賞を受賞した。

このN予備校のプログラミングコースでプログラミングを学び、ＮＡＳＡ主催の世界同時ハッカソンで優勝した生徒がいる。鎌谷天馬さんは、N高に転入してから本格的にプログラミングを学び始めたそうだ。５人チームで参加して優勝した「NASA Space Apps Challenge Kushimoto」以外にも、チームリーダーを務

めて出場した「日本ゲーム大賞２０１９ U18部門」ではファイナリストに残った。

プログラミング教育を担当する吉村さんは、鎌谷さんを「彼のすごいところは、開発力はもちろん、コミュニケーション能力が非常に高いこと。プログラミングができるだけではなく、企画から考えてプロジェクトをリードし、アプリを完成させることができるんです。いうなればオールラウンダー。こういうエンジニアは重宝されます」と絶賛する。

鎌谷さんは２０１８年12月、高校1年の途中でN高に転入した。特に高校生活に問題はなかったが、授業は退屈だと感じていた。当時、気になっていたのがプログラミング。最初は「かっこいい」というイメージから興味をもち、入門書を買って少しやってみたら想像以上に楽しかった。本格的に学びたかったが、なかなか時間がとれない。授業中にぼんやりしている時間をプログラミングの学習にあてられたら、もっと有意義なのではないか。そう考えて、転校を決めた。

そんなとき、ネット広告でN高を見つけた。もともとVRを使った入学式をする高校として、名前は知っていた。ホームページにとんでみると、学校としてプログラミング教育を推進していることがわかり、説明会に参加。「あ、ここだ」と即決した。親は転校に反対していたが、最終的には鎌谷さんの希望を尊重してくれた。そして、「せめて通学してほしい」と言われたので、通学コースを選択した。

N高に入ってさっそく、N予備校の「プログラミング入門コース」を受講。実践形式でウェブサービス制作の技術を網羅的に学んだ。そこから先は、必要な技術を独学で探求していった。身につけたスキルを試すように、2019年にはさまざまなハッカソンやプログラミングコンテストに出場するようになった。

よく一緒に出場していたのは、同じ心斎橋キャンパスに通っていたデザインのできる友人だ。日本ゲーム大賞U18の大会は、N高生三人で挑んだ。直感的に遊べるシューティングゲームを短期間で開発し、全国からエントリーされた58作品のなかから、ファイナリストの7チームに残った。

決勝大会の会場は、幕張メッセで開催される東京ゲームショウのイベントステージ。大勢の観客の前で、プレゼンテーションをおこなった。鎌谷さんたちのつくったゲームは、大会のMCから「シンプルなのにやればやるほど発見がある」「ついハマってしまう」と好評を博した。

「開発をすごい勢いでやって、前日からホテルに泊まって、大きな会場で自分たちのつくったゲームをプレゼンする。当日は、会場で僕たちのゲームをプレイしてもらえるスペースも設置していました。特別な体験で、この日のことはすごく印象に残っています」(鎌谷さん)

N予備校の入門コースを終えたあとは独学で学んでいるとはいえ、鎌谷さんはプログラミングチャンネルやコンピューター部のチャンネルで、プログラミングを学ぶ全国のN高生と交流している。コンテストなどで賞をとったときは、報告がてら、ちょっと自慢したりすることもあるという。

鎌谷さんはすでに、このプログラミングのスキルを仕事に活かしている。まずは、「N高キャリアバイト」で半年間のインターンシップに応募した。N高キャリアバイトとは、N高生のみがログインできる長期インターンシップ情報サイトだ。このサイトは、日本最大級の長期実践型有給インターン情報サイト「キャリアバイト」を運営するエン・ジャパン社の協力によって運営されている。

京都の会社でインターンシップ経験を積んだあとは、Twitterで見つけたIT企業のアルバイト募集に対し、ダイレクトメッセージで連絡をとり、応募した。年齢の条件は書いていなかったが、企業側は大学生や社会人を想定していたのだろう。面接時に、高校生であることを告げると驚かれた。しかし、これまでの実績や経験を説明したところ、無事採用に至った。この会社は東京にあったため、関西に住む鎌谷さんはリモートで仕事を受けていたという。やり取りはN高で使い慣れているSlackでおこなっていた。

「エンジニアとして実際に働くことで視野が広がりました。社会と関わることができ、仕事というのはどういうものか、少しわかった気がします」（鎌谷さん）

N高に行って一番良かったことは「いろいろなところに友達や知り合いができたこと」だという。

「キャンパスに通ってできた友達もそうだし、コンテストやイベントで知り合った人もたくさんいます。それはN高に行って世界が広がったからできた友達、知り合いです」（鎌谷さん）

プログラミングだけでなく、キャンパスフェスティバルの実行委員長なども経験し、N高生活を謳歌（おうか）した鎌谷さん。技術力に加え、人脈、リーダーシップ、実地での経験も身につけてN高を卒業していく鎌谷さんの今後が楽しみだ。

島の人気女子高生として過ごした日々は、人生の宝

「ネットの高校」の強みは、全国どこでもほぼ変わらない教育を受けられることだ。その利点を地方でも活用すべく、鹿児島県の長島町はネット教育の拠点「Nセンター」を同町の役場内に設置した。長島町は鹿児島県の北西端にある、長島本島などいくつかの島からなる町だ。そこに東京から移住し、他では得られない体験をしたN高一期生・白鳥優季さんに話をうかがった。

高校2年までは、東京・町田市の自宅から2時間かけて多摩科学技術高等学校に通っていた白鳥さん。通学時間のあまりの長さに、少しずつ遅刻する日が増えていった。「このままでいいのか」と考え始めた矢先、母親の知り合いが長島町に「地域おこし協力隊」として入り、N高関連の施設を設立したと聞く。

母親は、地域おこし協力隊としての移住を積極的に検討していた。「一緒に行こう」と誘われたものの、環境を変えるのはこわかった。しかし、ただ引っ越すだけでなく、N高に転校して他にはない高校生活が送れると説得され、真剣に考え始めた。

友人と離れたくない。でも環境を変えないと、だらだらと遅刻を繰り返すばかりになってしまう。悩みに悩んだ結果、白鳥さんは変化を選んだ。移住と転校を決意し、Ｎセンターの N 高生第一号となったのだ。

転校して1ヶ月。白鳥さんは友人はおろか知り合いすらできず、ひたすら自宅で卒業資格取得のための授業を受けていた。

「めちゃくちゃ病みそうでした。環境を変えたのに、引きこもって何してるんだろう、って。そこで、アルバイトを始めたんです。最初は、ヒオウギ貝という色鮮やかなホタテのような貝の養殖所で働きました」（白鳥さん）

それから、牡蠣（かき）の養殖、ワカメの養殖、ブリの稚魚・モジャコの選別、じゃがいも掘り、地元の生産物を活かしたお菓子づくりなど、さまざまなアルバイトを経験した白鳥さん。どれも東京ではできないことだった。そのうち、声をかけられて地元の食材について全国に発信する「長島大陸食べる通信」という季刊誌に、アルバイト体験を漫画として描（か）くようになった。もともと得意だったイラストが役に立ったのだ。

ここから生活が目まぐるしく変わっていく。漫画を見た生産者から、商品パッケージを依頼されたり、似顔絵の依頼が来たりするようになった。その活動を聞きつけた人が、長島町で活躍している女子高生として白鳥さんを県議選や市議選のウグイス嬢に推薦。地元での知名度はぐんぐん上がり、イベントに登壇することが増えた。

もともと人前に立つのは好きだった。南日本新聞が主催する「高校生新聞RAP甲子園」に「レペゼン長島町」として出場し銀賞をとったり、長島町でおこなわれた日本エアギター選手権の決勝大会で6位に入賞したりもした。

ローカルタレントのような活動は楽しかったが、途中からただ流されている気がしてきた。

「地元のラジオやイベントなどの出演って、『こんなのあるけど出てみない？』と言われて、引き受ける形だったんです。自分で手を挙げたり、『こんなことやりませんか？』って提案したことではなかった。それで、『すごいね』って言われても、『私自身はすごくなくない？』っていう気持ちがいつもあって」（白鳥さ

ん）

「女子高生」だから注目してもらえている、という自覚もあった。Ｎ高卒業後、大学受験はせず長島町にとどまろうと考えていたが、ふと今の自分にはできることが何もないと気づき「ヤバい」と思った。

白鳥さんはいったん、東京に戻ることにした。今は映像やデザインを学ぶため、大学に通っている。２０１９年には、卒業生としてＮ高のプレゼンテーションイベント「ＮＥＤ」に登壇。「島娘になったＮ高生」として、長島町での経験をプレゼンした。

帰京しても、長島町や九州に貢献したいという思いを持ち続けている。映像やデザインの勉強をしているのも、地域をＰＲする動画の編集や、特産物の商品パッケージをデザインするスキルを身につけたかったからだ。新型コロナウイルスの感染拡大が落ち着いたら、東京と鹿児島を行き来しようと考えている。

白鳥さんから聞いて興味深かったのが、地方特有の保守性の話だ。白鳥さんは地元の中学生にN高を勧めてみたものの、「手続きがわからない」「中卒でいい」と言われ、受け入れられなかった。高校に進学した人は、島外の高校まで原動機付自転車で長距離通学していた。

「天気の悪い日は危ないですし、通学時間が無駄だと思うんです。だったら、近くにあるNセンターに通ったほうがいいですよね」(白鳥さん)

白鳥さんはその保守性は、人間関係の狭さからきていると考える。

「周りの人がみんな同じような人生を送っているんですよね。だから、地方でN高がいろいろな人と触れ合う場になるのはめちゃめちゃいいと思います。そもそもN高に入れば、全国に同級生ができます。それだけでも世界が広がる。今はZoomで話すのも当たり前になってきたので、全国のキャンパスとZoomをつないでディスカッションするだけで、だいぶ視野が開けると思います」(白鳥さん)

長島町には、鹿児島県から一度も出たことがないという高齢者もいたそうだ。そうした環境のなかで、スクーリングのために県外に出るだけでも、高校生にとっては大きな経験となる。人口密度が低く高齢化が進む地方では、学校の廃校が相次いでいる。過疎地域にNセンターができれば、そこに住む子どもたちの可能性を大きく広げることになるだろう。

N高に転校したことで、大きく人生が変わった白鳥さん。N高はよく「やりたいことがある人」に向いていると言われるが、自身の経験からそれだけではないと感じている。

「やりたいことが特にない人にとっても、N高は人生を変えるチャンスになると思います。N高は何も強制してこないので、自主的に動かないとダメ人間になりそうな危機感を持てるんですよ。その危機感から、なにかしようという意欲が生まれる。将来について、ただなんとなく高校行って大学進学するか、くらいに考えている人にもおすすめです。前の高校も好きだったけど、転校してよかったってすごく思っています。この経験が人生の宝になっているんです」（白鳥さん）

ここまで、9人の生徒、卒業生を紹介した。1万6000人以上いる全生徒から考えるとごく一部ではあるが、それでも今のN高がどのような学校であるかが伝わったのではないだろうか。

校風をつくりだすものは、教育方針や地域性、校則、共学か男女別学か、などいくつかの要素が考えられるが、一番大きいのはそこにどういった生徒が集っているか、だろう。今後、生徒数が3万人、5万人と増えていくと、生徒はさらに多様になり、「N高らしさ」を見出すのは難しくなっていくかもしれない。そのなかでも立ちあらわれてくるN高らしさとは何か、そしてN高卒業生が社会に与える影響はどのようなものになるのか。自由に想像をふくらませながら、未来を待ちたい。

第３章

部活が変わった

サッカー部はeスポーツ部になり、全国大会で優勝を果たした

N高では「ネットの高校」らしく、開校当初から部活動もオンラインでおこなわれていた。当時、「そうきたか」と思ったのが、「サッカー部」の活動内容がサッカーゲーム「ウイニングイレブン」のオンラインプレイだったことだ。ゲームとはいえ、プロサッカー選手に戦術などを教わる機会が設けられており、レーティング（強さを測る指数）が大幅に向上した部員もいた。

このサッカー部は2018年に大きな発展を遂げる。格闘ゲーム部と合併し、「eスポーツ部」となったのだ。背景には、日本国内のeスポーツの普及や発展があると考えられる。eスポーツ部では、「ウイニングイレブン」や各種格闘ゲームだけでなく、「フォートナイト」、「リーグ・オブ・レジェンド」などeスポーツの分野で世界的に人気のあるタイトルをプレイし、練習できる。希望者は大会での優勝を目指し、eスポーツのプロゲーマーから指導を受けることも可能だ。

２０２０年には、30人以上の部員が日本最大の高校ｅスポーツの大会である「Coca-Cola STAGE:0 eSPORTS High-School Championship」の決勝大会に出場した。そして、フォートナイト部門、リーグ・オブ・レジェンド部門の2部門で優勝、クラッシュ・ロワイヤル部門で準優勝するという快挙を成し遂げた。この大会には全部で１７７９校、２１５８チームが参加していた。高校生内でのｅスポーツの盛り上がりを感じさせる。

Ｎ高ｅスポーツ部にはユニフォームもあり、部員は９００人を超えている。大会優勝を目指さずに、ただゲームが好きで楽しみたいという人にも開かれた雰囲気で、部のSlackチャンネルでは日々ゲームについての話題に花が咲いている。

同じく開校当初からある囲碁部も、オンラインでの指導を通じ、着々と実績を残している。２０１９年7月に開催された全国高校囲碁選手権大会では全国大会に進出。同年の各都道府県代表が出場する全国高校総合文化祭では、囲碁部門女子個人戦で4位に入賞した。２０１９年度のＮ高卒業生であり、歴代最年少で女流棋聖を獲得した上野愛咲美扇興杯も指導にあたっている。

美術部はN高の部活動のなかで最も部員数が多く、その数は1000人を超えている。美術部の部室はSlack上にある。イラストの上達について相談をしたり、自作のイラストをアップしたりすると、部員からコメントがつく。部室でわいわいおしゃべりをするのと同じような感覚で、チャットがおこなわれているのだ。たくさんの人が参加するチャンネルに絵をアップするのは、ハードルが高いと感じるかもしれない。しかし、美術部には長年の運営ノウハウが溜まっており、チャンネル内の雰囲気をオープンかつ前向きに保つさまざまな工夫がなされている。その一つが、ポジティブな発言を心がけること。「褒め会」といって、とにかく各自のイラストを褒め合う企画などもおこなわれている。

月に2回はプロのイラストレーターやデザイナーである顧問が登場し、部員の作品を添削してくれる。画力の向上だけでなく、イラストレーターとして活動していくために必要なことなども学べるため、プロを目指す生徒にとって貴重な機会となっている。

2020年のネット文化祭では、写真を似顔絵にする「オンライン似顔絵」を開催し、好評を博した。パソコン甲子園のテーマに基づいてCGで描いた作品を応募する「いちまいの絵CG部門」では、N高美術部の生徒が2018年、2019年と連続で最高賞である優秀賞を受賞している。

2020年には、N高初の運動部であるダンス部も発足した。部員は課題動画を見ながら自主練習をする。昨今では、YouTubeのダンス動画などを見てダンスを練習する人も多いため、そこまで違和感はないだろう。さらにダンス部では、インストラクターが自主練習の動画をもとにZoomやSlackを通してレッスンをしてくれる。自分の動画を見て、改善しながら練習を繰り返したら、ダンススタジオに通わなくてもスキルは上達するはずだ。将来、日本高校ダンス部選手権で、N高ダンス部が好成績を残す日が来るかもしれない。

ネット上でも、熱い関係は築ける

部活動の基盤はすべてオンラインだが、副校長（取材当時）の吉村さんは「ネット上であっても、一緒の時間を長く過ごすことで熱い関係を構築できる」と断言する。

「生徒と一緒にネトゲ（ネットゲーム）をやっていると、生徒たちがどんどん変わっていくのを感じます。最初は反応がそっけなかった人が、だんだん勝ったときに『やった！』って声を上げたり、一緒にプレイしている人に対して『オッケー！　ナイスです！』って励ましたりするようになる。ゲームを一緒にプレイする生徒を仲間だと思うようになっていくんだな、と」（吉村さん）

N高では趣味の同好会も活発に活動している。同好会のSlackのチャンネル数はおよそ7600。アクティブメンバーは1万人にのぼる。なかにはマニアックな同好会もたくさんある。吉村さんはその中の一つ、「ユーロトラックシミュレーター」という欧州地域をトラックで走行し、荷物を目的地まで輸送するというゲームのチャンネルを紹介してくれた。

「ひたすらトラックを運転するだけの地味なゲームなんですよ。日本全体でもプレイしている人はあんまりいないんじゃないかな。このチャンネルの参加者は10人くらいですが、すごく盛り上がっているんです」（吉村さん）

チャンネル名は「有限会社N運輸」。このチャンネルには、運転中のトラック車内のゲーム動画がひたすら上がっているという。

Slack内でプログラミングなどの話で盛り上がる生徒たちを見ると、吉村さんは「彼らの出会いに運命を感じる」という。

「『お前もあのOS好きなの？』『この大会一緒に行こう』などとチャットで話しているのを見ると、N高があって本当によかったなと思います。普通の高校でこういう話ができる友達はなかなかできないでしょう。N高だから仲間が見つかる

んです」(吉村さん)

青春、葛藤、達成感。ドラマが生まれる起業部

そしてN高ならではの新しい部活も続々と生まれている。

一つ目が「N高起業部」だ。起業部の立ち上げに携わった株式会社DGTAKANO最高執行責任者の横山創一(よこやまそういち)さんは、「起業を部活にしよう、というアイデアが生まれてから、パパパーッと話が進んだ」と当時を振り返る。横山さんが当時勤めていたデロイトトーマツベンチャーサポートを巻き込んでハイスピードで準備が進み、2018年2月に設立が発表された。

当時は、起業準備金として年間最大1000万円が用意されているということが話題になった。この準備金で登記に必要な費用やテストマーケティングの経費

などをまかなうことができるのだ。

第一期では、通学コースで参加できるプロジェクト型学習に取り組んだ生徒のなかから、起業アイデアのプレゼンテーション審査を突破した生徒が入部した。事業アイデアは、発達障害の児童を支援する、ＬＧＢＴへの理解を推進する、ＶＲで認知症の改善を目指すなどユニークなものばかりだった。審査員を務めたのは、川上量生さん、夏野剛さん、堀江貴文さん。7組のなかから5組12名が選ばれた。

起業部から生まれた法人第一号である「株式会社EasyGo」は、第二期生を決める特別審査会で発表された。事業内容は2枚の画像を投稿し、投票によって意思決定をサポートする「erabee」というサービス（現在はクローズ）。代表取締役となった鈴木颯人さんは、もともと食に関するまったく別のサービスを形にするため、起業部に入部した。しかし、途中でチームが解散。反省をふまえて、もっと身近な悩みを解決するサービスを開発したいと方針を転換した。

こうした挫折(ざせつ)や葛藤(かっとう)が、成長につながると横山さんは言う。

「ある部員は頭もきれるし、ベンチャーでのインターン経験もあって、まあ間違いなく成功するだろうなと思いました。その生徒が仲間を集めて事業を始めようとしたんですけど、1ヶ月後にミーティングに来たとき、泣いてたんですよ。『仲間割れしました』って」(横山さん)

横山さんが、「何がわるかったと思う?」と聞くと、その生徒は「本音で話をしてこなかったこと」と答えた。「それに気づいているなら大丈夫だ」と思った横山さんは、その場で仲間に電話をかけさせ、キャンパスに集合してもらった。みんなで正直な想いをさらけだしたことで、チームは再結成した。

設立時には、まずは起業の知識をしっかり教えなければいけないと考えていた横山さん。しかし、N高生はリサーチ能力に長けており、ポイントを押さえて説明するだけで必要なことは自分で調べてくることがわかった。一を聞いて十を知るような察しのよさに、横山さんは驚いたという。

「途中から、自分がサポートすべきはエモーショナルな部分なんだと気づきました。モチベーションのコントロールやチームビルディング、決断の背中を押すといったことを重点的にやっていましたね」（横山さん）

横山さんは、担当チームと毎週ミーティングをおこない、ビジネスパーソンの先輩として教えられることを余すことなく伝えてきた。そのなかで、印象に残っている出来事がある。それは、設立する会社の持株比率を決める打ち合わせに同席したことだ。場所はサイゼリヤというのが高校生らしい。

代表を務める生徒は特別決議を成立させる権利を持つために、もうひとりのメンバーには3分の1未満、つまり30％の持株比率にしてほしいと考えていた。「俺がちゃんと責任を持つから」とパートナーを説得し、資本金の10万円は7：3で分けて出すことにした。二人が7万円と3万円を握りしめて口座に入れるところを見守った横山さんは、「この瞬間を撮影して、ＮＨＫのドキュメンタリー番組にしたい」と思ったそうだ。他に、部員が有名な起業家に直談判し、その場で出資を決めてもらう現場に立ち会ったこともある。

「そんなの、僕が高校生の時には考えられない経験です。自由を最大限に尊重するN高らしいなと思います」（横山さん）

起業には、初めての経験や挫折が詰まっている。失敗を経験する場がないまま社会人になるよりは、高校生のうちに周りのサポートを得ながら、背伸びして挑戦する機会を得ておくほうがよいのかもしれない。

起業の失敗から学んだ、「自分は大したことない人間」という気づき

実際に起業部ではどういう活動がおこなわれているのか。それを探るため、元部員にも話をうかがった。２０１９年2月スタートの二期生として入部した小山一哉さんは、最初の２ヶ月でビジョンとミッション、ビジネスモデル、事業計画書の書き方、資金調達など起業に必要なことを座学で学んだという。

その後は、事業を形にしていくために、ヒアリングや勉強会への参加、プロトタイプの制作、サービスのテストなどをしていった。その間に、起業家の先輩からの特別授業などもある。

チームには起業家やコンサルタント経験者がメンターとしてついており、週に1回はメンターとミーティングをする。そこで進捗を共有し、アドバイスをもらうことができる。定期的にレポートも提出していたという。

二期のメンバーはどういう人が多かったのか聞くと、「僕も含め、変な人が多かった。言い方を変えれば、夢を持った将来有望な若者たち、という感じでしょうか」という答えが返ってきた。

「みんな、自由を求めている人たちでしたね。用意されたものを『はい、はい』と素直にやれないタイプ。大人びている感じもあったかな」(小山さん)

小山さん自身、異色のN高生だった。起業部に入る前から、バーチャルYouTuberのプロジェクトを運営していたのだ。スタート時にN高内でメンバーを募集したところ、1週間で約50人集まった。「これはいける」と思ったが、実際にボランティアで仕事をしてくれる人はごく少数だった。現実の厳しさを思い知った小山さんだったが、この活動が話題になり起業部への道が開かれた。

起業部に入って企画したのも、バーチャルYouTuber関連のサービスだった。3Dモデルのフリーマーケットを事業化しようと考えたのだ。しかし、VRの大手企業が同じようなサービスを始めてしまった。

「そうなると新規性もないし、規模も技術力もすべて負けていたので『これはダメだ』と諦めました」(小山さん)

そこから、自分の経験を活かして、不登校児やコミュニケーションに不安がある人に向けたコミュニケーション塾の事業を始めた。しかしこれもうまくいかなかった。「ターゲットとなるコミュニケーション力の低い人が、企画したサービスを必要としていない」という問題に直面したのだ。

「自分のサービスを必要としている人がいるのかというリサーチや、ターゲットへのヒアリング、そしてイベントを企画して実施する、ということを何度も繰り返して、サービスを改善していこうとしました。でも、『こうやったらうまくいくはず』と思ってやったことが全然うまくいかなかったりして、失敗続きでした」（小山さん）

「起業部での経験がなければ、『自分はすごい人間だ』と勘違いして社会に出てしまっていた」という小山さん。自分に足りないところに気づけたのが、起業部で得た一番の財産だという。

「今までは一人で何でもできると思っていたけれど、人と協力し、人の気持ちを考えなければ物事はうまくいかないんだとわかりました」（小山さん）

もう一つ気づいたのが、努力の大切さだ。「もともと努力が嫌いで、努力なんかしないぞと意気込んでN高に入ったんです。でも、がんばらないと何もうまくいかない。努力は大事ですね。当たり前のことですけど」と笑う小山さん。起業の範囲を超えた、人生についての本質的な学びを得られる部活動だったようだ。

今は横山さんが代表を務める世界の水問題の解決に挑む会社で、インターンをしている。横山さんが小山さんの起業部での活動や資質を高く評価し、自分の会社で働いてほしいと依頼したのだ。小山さんに今やっている仕事を聞くと、「新規事業についてのリサーチやアプリ開発、商談、資料作成など」といった、まるで社員のような回答が返ってきた。仕事自体に苦はないが、周りが外国人メンバーばかりで英語のコミュニケーションが基本であることが大変だそうだ。

インターンを始めて、「もらうばかりでなく、与える側にならなければいけない」と気づいたという小山さん。社会の一員としての責任感がすでに芽生えているようだった。

Zoomで対面したところ、小山さんは話し方があまりによどみなく、貫禄があるため、取材の開始時に「起業部の生徒ではなくスタッフの取材だったかな?」と混乱したくらいだった。起業部、そして実際に会社で働く経験を通して高校生とは思えないほどの成長を遂げたことが、風貌にも表れているのだろう。

これまでに起業部から誕生した企業は、マイナースポーツを支援するスポーツ×テクノロジー企業の「株式会社SUPOTA」、紫外線を避ける必要がある人や肌の弱い人向けの洋服を提供するファッションブランド「株式会社HAYATO KURATA」、異国人と日本人が助け合うコミュニティサイトを運営する「FreFre株式会社」、個人に合った助成金や補助金の支給制度を提案するサービスを展開する「株式会社Civichat」、それに第一号の「株式会社EasyGo」を加えた5社。

2021年からは、学外の生徒も対象として部員を募集し、さらに規模を拡大しようとしている。

村上世彰氏から「お金」の意義を学ぶ投資部

2019年5月には、投資家の村上世彰(むらかみよしあき)さんが特別顧問を務める「N高投資部」が誕生した。投資部の目的は、実際の株式投資を通じて金融の知識を身につけ、経済動向を主体的に追う姿勢を育む（はぐく）ことだ。実際に部員は証券口座を開設し、企業の株を売り買いする。

投資部の発端は、2018年2月におこなわれた、村上さんによる特別授業「お金の教育」だった。この授業の手応え（てごた）えから、継続的にN高で金融教育を実施できないかという話が持ち上がり、1年後に「投資部」がスタートした。

投資部設立の発表時には、『インベスターZ』の登場人物がN高の制服を着用し、そこに村上さんが加わっているイラストも公開された。『インベスターZ』は、超進学校に秘密の投資部が存在するという設定の漫画だ。本作の主人公はいきなり100億円を運用することになるが、N高投資部の運用資金は20万円。これは、一般財団法人村上財団から提供される。

2019年度は270人ほどの応募があり、その中から書類審査などの選考で50人が部員として選ばれた。部員は、証券会社や投資ファンドのプロフェッショナルから投資について学んだり、会社四季報の読み方を習ったり、ボードゲームで財務諸表の読み方などを学んだりといった授業で、まずは知識を蓄える。なかには数学の先生から、投資に活かせる統計を習う授業もある。

統計の授業を受けたことで、村上さんのような企業の本質的な価値に注目するスタイルの投資よりも、株価の値動きをデータから分析する投資のほうが合っている、と気づいた生徒もいたという。そうした生徒は短期での売り買いを繰り返し、利益を上げることを目指した。生徒の得意なことや興味によって、投資のやり方が変わるのだ。

投資は個人の裁量でおこなうが、定期的に村上さんや運営にレポートを提出することが義務付けられている。レポートには投資結果や投資方針、そして自由記入欄には運用資金の増額の依頼などを書く。

投資の判断材料にするのは、基本的にＩＲ情報や日本経済、世界経済についてのニュースだ。それらの情報は会社四季報やテレビ、新聞、ネットなどを見ることで手に入る。しかし実際に企業を訪問し、その会社や工場を見学することで見えてくるものもある。そう考えて、投資部を運営する職員は企業見学も積極的に推進した。

部員たちは実際に、自分たちで計画を立てて、アポイントを取り、トヨタ自動車やサイバーエージェントなどの企業見学を実施した。施設の見学だけでなく、IR担当に新規事業への先行投資や事業の安定性、社長が実際どういう人なのかといった質問を投げかけ、それに答えてもらう場面もあった。

株を持っていると、株主総会にも出席することができる。某不動産会社の株主総会では、村上さんと会社側とが経営権をめぐる激しい攻防戦を繰り広げる一幕もあり、高校生としてはなかなかできない経験をした部員もいた。

元金は一律20万円だが、村上さんと面談し、モチベーションが高く見込みがあると判断された場合、増額もあり得る。どういう生徒が村上さんのお眼鏡にかなったのか。1年目の投資部運営を担当したN高職員の松井尚哉(まついなおや)さんにうかがった。おもしろいのは、投資成績だけで判断されるわけではないということだ。投資成績が悪かったにもかかわらず、面談後に増資が決まった生徒もいた。
「その生徒は、自分の好きなゲームをつくっている会社に投資をしていたんです。新作ゲームがヒットすると見込んで、全額をその会社に突っ込みました」（松井さん）
しかし、その会社は買収を仕掛けられ、業績と関係なく株価は暴落した。
「面談でその生徒は、『社会が不合理であることを知った』と振り返っていました。これはなかなか含蓄のある言葉ですよね。この学びと気持ちのいい損っぷりが評価されて、村上さんは増資を決めていました」（松井さん）
損をしてもそこからその人なりの学びがあれば、評価されるのだ。

投資というフィルターを通し、社会の見え方が変わっていく

投資をすることによって、部員たちの社会を見る目は変わっていった。ニュース一つをとっても、投資というフィルターを通して眺めると、今までとは違う側面が見えてくる。

例えば、２０１９年11月に発表された、ヤフー（Yahoo! Japan）を傘下に持つＺホールディングスとLINEの親会社のNAVERが経営統合するというニュースは、部員たちの注目を浴び、株価の乱高下にも関心が集まった。部員たちは「ヤフーとLINEが一緒になる」というだけでなく、その場合にサービスにはどういう影響があり、ヤフーやLINEの経営にはどういう影響があるのか、といったことを考えていた。

トランプ元大統領の発言や、イギリスのＥＵ離脱などの世界情勢も株価に影響を与える。自然と部員たちは、世界に目を向けるようになっていった。

「僕が高校生の頃は、ニュースを見ても右から左に流していました。でも、自分が株を持っていたら、『このニュースは自分の持っている株にどう影響するだろう』と、立ち止まって考えるようになります。部員の週報を見ていてもそういう考え方をするようになっていったのがわかりました」（松井さん）

投資部の顧問として、村上さんはよく「なぜその株を買ったの？」「なぜこの株は下がったと思う？」と問いかけ、部員に答えさせていた。

「高校生のうちに、自分の頭で考える力を鍛えておくことが、これから彼らが枝葉を伸ばして成長していくために必要な根になるはず。しかも、昔と違って今は情報があふれていて、どんな情報をベースに考えるかの判断が難しくなっています。投資はさまざまな情報を総合的に判断して決断するものだから、良いトレーニングになると思うんです」（松井さん）

投資部1年目の投資成績はどうだったのか。部員たちは初心者なりにがんばったが、新型コロナウイルスの感染拡大や米中摩擦など、想定外の事象に翻弄(ほんろう)され、結果的にマイナス13%という成績だった。村上さんからは「負けすぎだ」という苦笑交じりのコメントがあったが、世界経済のダイナミズムを体感できたという点では、良い経験だったのではないかと松井さんは振り返る。

　初年度の最後には、「村上世彰賞」の授賞がおこなわれた。受賞者は二人。一人は、新型コロナウイルスの流行を敏感に察知し、関連性のある株を買って好成績を残した生徒だった。

　もう一人は、中学生のときから「人の命を奪う感染症をなくしたい」と願い、それに関する活動をしていた生徒であった。村上世彰賞を受賞すると、元手として提供されているお金を含め利益を特定の団体に寄付する権利が得られる。彼の投資目的が、新型コロナウイルスの感染拡大防止という現在の世界の大きな課題と合致したことも評価され、受賞に至った。

取引するだけで楽しい、でももっと利益を出したい

もっと詳しく投資部の実態を知るために、一期生のひとりに話をうかがった。村上さんとの2回の面談を経て、合計50万円の資金を手にした光澤加偉さんだ。

光澤さんは、中学、高校、そして大学まである総合学園に通っていたが、「安泰だけどこのままじゃつまらない。もっと新しいことがしたい」とN高に転校を決めた。高校2年のときだった。

光澤さんはN高に対し、「プログラミング教育が手厚い」ということしか知らなかった。通信制だし、家に引きこもりがちな生徒が多いのではないか、という受動的なイメージを持っていた。しかし、キャンパスに登校した初日、教室でVRデバイスを操作している生徒がいて驚いた。さらに、大きな物理サーバーをキャリーカートにのせてキャンパスに持ってきている生徒もいた。

「いや、もう僕が持っていたイメージと真逆だったんです。すごい活動的ってい

うか、個性強くておもしろい人ばっかりいるなとびっくりしました」(光澤さん)

光澤さんがN高を選んだ理由は、プログラミングが学べるからだった。光澤さんはサイバー攻撃から企業などのシステムを守る「ホワイトハッカー」に憧(あこが)れていたのだ。

N高に入ってからも、ホワイトハッカーになりたいという夢を周りに伝え続けていたら、「こういう勉強をしたらいい」「こんなイベントがあるけど行ってみる?」といったアドバイスがどんどん降ってきた。そのなかに、「今度『投資部』ができるのだけれど、社会や企業のことを知るために参加してみたらいいんじゃない?」という担任からの勧めがあった。

投資への興味は、以前から持っていた。新聞で「ジュニアNISA」というものがあると知り、どんな銘柄があるのかと調べてみたこともあった。しかし、「宝くじみたいに当たったらお金が入るけど、外れたら0円になっちゃう」というハイリスクハイリターンのイメージがあり、実際にやってみたことはなかった。

部活として資金が提供されるならやってみようかな。そう思って両親に話すと、「村上世彰さんが指導してくれるなんてすごいことだ」と挑戦を後押ししてくれた。書類審査では、ホワイトハッカーになりたい、そのためにセキュリティについて学びたいという想いを熱く伝え、無事に部員として選ばれた。

最初は三菱ＵＦＪモルガン・スタンレー証券の社員から座学で投資について学んだり、投資を啓蒙（けいもう）するポスターをつくるなどのグループワークをおこなったりした。そして８月。証券口座が開設され、いよいよ株式投資をスタートした。初心者ということもあり、少しでも株価が上がったら売るようにしていた。初めは取引画面に入力をするだけで、胸が躍った。

当時を振り返って光澤さんは、「８０５円で買って８１０円で売る、みたいなことをしていました。そのときは手数料のこともよく知らなくて、実質数百円しか利益が出ないような取引をしていたんです」と苦笑いする。８月の運用成績は20万３４１円だった。

たった341円のプラスだが、銀行に預けたら数円の利子しかつかない。そう考えたら、341円でもいいか、と自分を納得させていた光澤さん。しかし、他の部員が1万円のプラスを出していると聞き、「これで満足していてはいけない」と方針を切り替えた。増資の面談で意欲を見せるために、8月中に統計検定も受験した。

しかし、思うように利益は出ない。光澤さんは基本的に情報セキュリティ会社の株を買うようにしていたが、ある会社では関係者が逮捕されて株価が下がってしまったこともあった。あるときは、他の部員が、数十円という少額の株を大量に買って利益を出しているのを見て、自分もやってみた。その時、1日に何度も同じ銘柄を売り買いすることはできない、と知った。やってみて初めて知ることばかりだった。

株価で一喜一憂する日々。株価予測のプログラムも組んだ

光澤さんはどんどん投資にのめり込んでいった。毎朝、日経新聞をチェックし、ニューヨーク証券取引所の動きを紹介する早朝の番組を見るようになった。

「NYダウが一気に下がって、それに連動して日本株も下がったことがあって。それを知ってからは、NYダウの動きも見るようにしていました」(光澤さん)

そして夜は「ワールドビジネスサテライト」(テレビ東京系列)を視聴し、ビジネスの動向についての情報を仕入れる。ちょっとしたニュースにも興味がわき、電車の車内広告にも隈(くま)なく目を通した。

毎朝、東京証券取引所の株式市場が開く9時には、取引を開始していた。

「その時間はいつも登校する電車の中なんですよね。しかもちょうど地下を通っている時間で、電波が入りづらい。下がった株をすぐ売りたいのにエラー画面になっちゃったりして、毎日焦ってました」(光澤さん)

「売りたいのに売れない」という事態は、投資部として活動するなかで何度も訪れた。あるときは、株価が下がり始めたのを確認した矢先に、参加していたセキュリティ関連のシンポジウムでディスカッションが始まってしまったこともあった。

「『うわ、下がってんじゃん！』と思って、目の前のディスカッションに集中しないといけないいんだけど、ずっと『あ〜！　どうしよう〜！』とぐるぐる考えていました」（光澤さん）

もどかしく思ったり、がっかりしたりすることも多かったが、投資は楽しかった。いろんな方法を試してみたいと考え、プログラミングスキルを活かし、機械学習を使って1ヶ月後の株価を予測するプログラムも組んでみた。しかし、あまり精度が上がらず、実際の投資に活かすまでには至らなかった。

投資には活かせなかったが、無駄にはならなかった。この経験からもっと人工知能や機械学習、ディープラーニングについて学びたいという気持ちが芽生え、ディープラーニングについての検定であるG（ジェネラリスト）検定をとったのだ。

途中からは、将来の可能性を見込んで株を買い、長期で持つようにしてみた。これは、村上さんの投資スタイルを真似てのことだった。

村上さんとは、9月と11月、2回の面談機会を持った。11月の面談では、増資よりもむしろ、シンガポールにセキュリティについて学びに行きたいとアピールした。それを聞いた村上さんからは「投資よりも、自分で起業したほうがいいんじゃない？」というアドバイスが。そして意欲を買われて、資金が50万円に増資された。

起業、投資、政治。部活は社会との接点になる

光澤さんは持ち前の行動力を活かし、企業訪問も積極的におこなった。SNSに載っていた社長個人の携帯番号に直接電話をかけたこともある。この件について面談で話すと、村上さんも驚いていたという。

「4回くらいコール音が鳴って、『はい』って相手が出たんです。もう、超ド緊張ですよ。相手の顔が見えないので、村上さんとの面談よりこわかった。でも、せっかくつながったので『企業訪問させてください』と直談判しました」（光澤さん）

その電話番号は、もともと個人で運用していたアカウントを企業アカウントに転用したがゆえに、手違いで公開されていたことがわかった。その社長は最初、

なぜ電話番号がわかったのか不審に思っていたようだったが、事情を説明すると「ご指摘ありがとうございます」とお礼を言ってくれたという。自分から行動することで、出会いは広がっていった。

「N高の投資部で、村上世彰さんが顧問って言ったら、どんな企業も一応話は聞いてくれるんですよね。村上さんが守り神というか」と、投資部としてのメリットを活かし、東京以外の会社にも積極的に企業訪問をした。

投資部として活動した6ヶ月間の投資成績は、マイナスで終わった。しかし今、当時持っていた株を見ると軒並み値上がりしているという。

「1900円くらいで買った株が、いったん900円まで下がっちゃって、結局1500円くらいで損切りで売ったんです。一期生としての活動も終わるタイミングだったので。でも、最近見たら2100円くらいになっていたんですよ。売ったときは見る目がなかったのかなと思ったんですが、『いやいや、合ってたんだな』と自信につながりました」（光澤さん）

投資部について、止まらない勢いで話してくれた光澤さん。村上さんを特集したNHKの番組にN高投資部として出演するなど、投資部に入ったことで他ではできない貴重な体験がたくさんできた。光澤さんはその経験を活かして有名私立大学への合格を決め、サイバーセキュリティについての勉強も続けている。

2020年9月には、夏野理事の強い熱意から「N高政治部」が設立された。最初のゲスト講師として麻生太郎副総理兼財務大臣が講義をおこない、国際政治学者の三浦瑠麗さんが特別講師に就任した。

政治家と直接触れ合う機会をつくることで、政治を身近に感じてもらう目的から、立憲民主党代表の枝野幸男さんやデジタル改革担当大臣の平井卓也さんなど、豪華なゲスト講師が特別講義をおこなっている。

起業、投資、政治。一見、「部活」とは縁遠く見える活動だ。しかし、どれも学生にとっては社会との大きな接点になり、社会に出ていくときの「武器」となる知識や経験を蓄えられるテーマである。そう考えるとN高にこれらの部活ができたのは、当然なのかもしれない。今後も、N高ならではの部活動が増えていくことを期待している。

第４章

見られ方が変わった

転機となった「紀平ショック」。その前は逆風が吹いていた

開校からの5年で最も大きく変わったのは、N高に対する世間の見方かもしれない。キーファクターとなったのは、やはりフィギュアスケートの紀平梨花選手の存在ではないだろうか。

第1章でもふれたように、2018年11月に紀平さんがNHK杯で初優勝したとき、紀平さん自身への注目が爆発的に高まると同時に、N高生であることにも注目が集まり、その名が広く知れ渡ることとなった。このときのことを、N高内では「紀平ショック」と呼んでいる。沖縄・伊計島の本校で勤務している奥平博一校長は「紀平さんは、島のおじいでも知っている」と言う。

「沖縄の高等学校が部活の大会で優勝したりすると、伊計島に続く海中道路のあたりに横断幕を出すんですよ。当時、地元の人たちからいきなり『N高はなんで横断幕出さないの、ほらNHK杯の』って聞かれて、さすがやな、と思いました。

沖縄のこんな小さな島まで紀平さんの業績が知られているんだ、と」(奥平さん)

開校前から「入学広報」という生徒募集に関する部署の責任者を務めていた上木原副校長は、今に至るまでの評判の変化を肌で感じている。

開校前の説明会や個人面談で、生徒には「こんな学校だったら絶対行きたい」と好意的に受け止められたが、保護者は懐疑的な態度の人が多かったと記憶している。ある地方の説明会では、保護者に「君は本当に大事な子どもを預かる覚悟を持ってやっているのか」と詰め寄られたこともあった。

「安心してもらえるような実績はまだないため、1時間くらいじっくりと僕らの教育に対する想いをお話しさせてもらいました。そうしたら、『わかった。信じてみるから絶対いい学校をつくりなさいね』と言ってもらったんです。これは、忘れられない言葉です」(上木原さん)

開校前は、名前も相まって「謎の高校」というイメージが強かった。そして、開校してすぐ実施されたVR入学式。VRゴーグルをつけた新入生の姿がネットの記事などで広まったときが、上木原さんが最も逆風を感じた時期だった。

「もう、コメントの99%が誹謗中傷だった。先進的だと捉えてくれた人もいたけれど、『なにあれ』『やばい』というのが大半の感想だったと思います。ひどいコメントは見ないようにしていましたが、本当に生徒たちにN高に入学してもらってよかったのか悩んで、眠れない日もありました」（上木原さん）

しかし、生徒は上木原さんが思っているよりもタフだった。Slackには、「N高、叩かれちゃってる」「私たちが見返せるくらいの実力をつけないといけないね」「本当の勝負は3、4年後だから」「がんばろう」「結果出していこう」「まずはレポートちゃんと出そう」といった前向きな言葉が次々と投稿された。

「それを見て、むちゃくちゃ感動しました。僕が弱気になっているのに、生徒は前を向いている。強い覚悟を持って入ってきてくれたんだ、と感じました。生徒は一緒にこの学校をつくっていく味方なんだ。ジタバタしてもしょうがない。生徒の力を信じて、いい学校をつくるために全力を尽くすしかないと気合を入れ直

しました」(上木原さん)

入学率よりも誠実さを重視する

当時、上木原さんが一番申し訳ないと思ったのが、入学式の挨拶(あいさつ)を依頼した塩屋敬加さんだった。

「彼女はすばらしい挨拶をしてくれたのに、ニコニコ生放送の画面上のコメントがひどくて。塩屋さんから『動画を削除してほしい』と連絡が来たんです」(上木原さん)

それからずっと上木原さんは塩屋さんを見守っていた。折に触れて話もしていた。そして塩屋さんは、卒業式で卒業生代表として答辞を読んだ。それは、3年前の新入生代表の挨拶と一対になるような内容だった。

「開校当初のN高は世間から信じられないほどのバッシングを受け、心が折れそうになった」という正直な告白に始まり、「これまでは『青春なんてくそくらえ、友情なんて馬鹿げてる』と思って生きてきた。でも3年間を通して価値観が変わり、『青春も友情も案外悪くないじゃん』と思うようになった。N高で出会った仲間はかけがえのない宝物。N高に入って、世界は広く、色鮮やかだったことを知った」と続き、最後には「こんな素敵な高校を設立してくださり、ありがとうございます」という感謝の言葉があった。それを聞いたときに、上木原さんはようやく心のつかえがとれ、救われた気がしたという。N高に入ってもらったのは、間違いではなかった。そう思うことができた。

上木原さんは、当時の入学広報において「風呂敷(ふろしき)を広げすぎない」ことを心がけていた。

「現実をしっかり見て、『N高はここまでできます』『ここはできません』ということをちゃんとお伝えすることが、誠実であることだ、と。それは合言葉のよう

に言っていました」（上木原さん）

例えば、「うちの子は勉強ができないので、個別指導をしてほしい」と言われた場合、教員がつきっきりで教えることはできないため、「そういうことはできません」とはっきり答える。N予備校を使った学習はそれぞれの理解度に合わせて進められるため、個別的な指導が受けられるとも言えなくもない。しかし、詳しく説明せず「N予備校があればできますよ」というのは「大風呂敷を広げている」ことになる、と考えた。新しい学習システムは万能ではないのだ。

また、「N高は夢のある生徒、やりたいことのある生徒だけが入れる学校だ」という打ち出し方もしないようにしていた。

「よく『うちの子にN高は向いていますか』と聞かれることがあったのですが、そういうときは『N高はこういう学校です』という事実だけを伝えて、向き不向きについては回答しませんでした。夢ややりたいことがある人にN高は向いていますが、ない人でも入ってから見つかるかもしれない。入学前に向き不向きを決めてしまうべきではないと思ったからです」（上木原さん）

入学率を上げるための安請け合いはしない。それが、長期的にN高が信頼を得るために必要なことだと入学広報チームは考えていた。

イメージが向上し、期待が現実を上回るように

風当たりが強い状態でスタートしたN高だったが、そのイメージは段階的に変化していく。最初のきっかけは、２０１７年に通学コースができたことだったと上木原さんは考えている。入学広報の場では、全日制を進路先として考えていたような中3生が通学コースの存在を知り、「N高に行きたい」と言ってくれるようになった。

通学コースの評判が上がってくるにつれて、ネットコースもN高を第一志望にする人が増えてきた。全日制の高校と対等な選択肢、そして第一志望に選ばれる

高校になってきたのがこの時期だ。

第二段階は、アスリート系の生徒が増えてきたことだった。その先駆けとなったのが、2017年に二期生として入学したフィギュアスケート選手の川畑和愛さん。そして、第二期の期末あたりで紀平さんがN高の心斎橋キャンパスの説明会に参加。紀平さんは、自分でN高のホームページを検索し、説明会にたどり着いたのだという。

説明会の参加時点で紀平さんは、「トリプルアクセルが跳べる中学生」として評判ではあったが、そこまで有名なわけではなかった。しかし高校1年の冬、グランプリシリーズデビュー戦となるNHK杯で初優勝を決め、最終的にはグランプリファイナルを制覇したことにより、一躍時の人となった。2018年から2019年にかけての冬で、N高は「完全にギアが変わった感じがした」と上木原さんは言う。

「ただの通信制高校ではなく、好きなものを突き詰めるための高校だと思われる

ようになったんです」（上木原さん）

それゆえに、特別好きなものがある人、やりたいことがある人以外は行ってはいけない、というイメージが強くなりすぎた時期もあった。その見方は、一期生の大学受験実績や進路決定率が出た頃から、変わっていったという。

「80％以上の生徒が進路を決定していたので、一般的な生徒でも、ちゃんと卒業して進学なり就職なりと進路を決められる学校なんだ、ということがわかってもらえたのかと」（上木原さん）

そして第三段階は、２０２０年初頭から始まった新型コロナウイルスの感染拡大だ。

「リモートワークのように、オンライン授業が急に『やるべきもの』になりましたよね。学校に通わないで学ぶことに対する、ネガティブイメージが払拭（ふっしょく）されたんです」（上木原さん）

社会が大きく変わるなかで、教育関係者から「N高のほうが今の社会にマッチしている」と言われることが増えたという。この段階に至り、開校当初のような「ネットの高校」に対する誹謗中傷はほとんどなくなってきた。

一方で、生徒から「N高の実態はそんなにいいものじゃない」「全日制のほうがいい」といった批判が上がるようにもなってきた。これを上木原副校長は、N高の評判が上がってきたことによる副作用だと捉えている。

「一期生、二期生あたりまでは、『N高はまだ何もないから、自分たちでつくっていこう』という生徒が多かったんですよね。でも、N高の評判が上がるにつれて、『N高は自分に何をしてくれるんだろう』『N高ではすばらしいことが待っているに違いない』と期待して入ってくる生徒が増えたのだと思います」(上木原さん)

「高い期待に応(こた)えるために、どういう学校をつくっていくか。課題は山積みです」と語る上木原さん。それでも、誹謗中傷で生徒がつらそうだった頃に比べたらずっといいと考えている。逆風が追い風に変わった今、N高はその評判に慢心することなく、地道に学習プログラムやサービスを改善し続けている。

先進的な学習システムが、世界から注目を浴びている

N高は、自分たちをよく見せるようなことはしないが、対外発信は積極的におこなってきた。それも、世間のイメージを変えてきた一つの要因だと考えられる。

立役者のひとりが、２０１８年６月から学校法人角川ドワンゴ学園理事長に就任した山中伸一（やまなかしんいち）さんだ。山中さんは大学卒業後に文部省（現文部科学省）に入省し、初等中等教育局長、文部科学事務次官などを歴任し、教育行政に長く携わってきた。

山中さんの理事長としての活動のなかで特筆すべきなのが、海外の教育関係者に向けた発信だ。２０１９年４月にニューヨークの国連本部で開催された第19回

情報貧困世界会議では、「ICTを活用したネットの学校〜N高等学校のSDGsへの取り組みについて〜」という題で発表をおこなった。これは、SDGsの目標の一つである「すべての人々に包括的かつ公平で質の高い教育を提供し、生涯学習の機会を促進する」を取り上げ、N高のICTを活用した教育システムが目標達成に寄与するという内容であった。

また、中国の教育系総合大学のトップである北京師範大学が主催する「中国教育創新成果公益博覧会(China Education Innovation Expo)」には2年連続で招聘（しょうへい）され、N高の取り組みについてプレゼンテーションをおこなった。

こうした海外向けの講演で質問が多く出たり、称賛されたりするポイントはどこなのだろうか。山中さんいわく、「ネットを活用し、友人ができる」「N予備校で双方向の授業を可能にしている」「将来の職業につながる教育プログラムを多数用意している」といった部分だという。しかもN高は生徒数が約1万6000人。このように大規模な学校の取り組みとしては世界的に稀有（けう）であるため、モデルケースとして注目されることも多い。

先述の中国のイベントには、文部科学省の職員も参加していた。彼らとの会話のなかで、山中さんは文部科学省のなかでもN高の評価が上がっていることを感じたという。

筆者が文科省の若手職員に話を聞いたときも、「教育のシンポジウムでN高の名前を知った」「東大合格者が出たというネットのニュースを見た」と、普段接しているメディアや仕事の関連でN高にふれる機会が多くなっていることが感じられた。

また、「従来の学校教員が、一から動画を撮ってオンライン授業を実施するのは難しい。N高的なやり方でオンライン化が進むと思う」「教育業界は、良くも悪くも慎重で腰が重い。しかし、ICTの技術発展は速いスピードで進んでいく。IT業界ががんばることで教育が引っ張られ、変化していくのではないか」という意見もあった。

「N高でやっていることは、文科省がやろうとしている教育の情報化、GIGA

スクール構想に沿っているんですよね。例えば、生徒の学習歴のデータベースをつくり、それを指導に役立てる。これはもう、N高で実施されていることです。ほかにも、病気などが理由で学校に通えない生徒が、アバターを使って授業やイベントに参加するといった未来的な施策。これも文科省の計画に書かれていますが、N高ではすでに入学式などで実現されています」（山中さん）

山中さんは2017年まで、N高のことを知らなかった。しかし、理事長に就任してからN高の知名度はどんどん上がり、知人からも「知り合いの子どもがN高に入ったそうだよ」などと聞くようになった。今であれば、文科省に勤めていてもN高のことを知っていただろう、と思っている。

夏野剛理事も、メディアでN高について発信する機会が多い人物の一人だ。夏野さんは開校当初からN高の学校説明会で地方をまわり、N高の魅力を語ってきた。

当時のN高は、海の物とも山の物ともつかない存在。登壇する際に夏野さんは

「慶應義塾大学特別招聘教授」という肩書をかならず入れていた。「慶應の教授が良いと言っているのだから、良い学校に違いない」という、権威付けが必要だと考えたからだ。しかしもう、自分の肩書は必要ないと感じている。

「当初はみんなから『そんな学校うまくいくの？』って思われていたんです。でも今やN高は一つの確立された存在になった。N高のやり方が機能しないと思っている人は、もういないんじゃないでしょうか」（夏野さん）

中学教員から支持され、進路先として勧められる高校へ

生徒自身も、世間的なイメージの変化を感じ取っている。第3章に登場した元起業部の小山さんは、２０１８年3月に進学先としてN高を選んだとき、中学からの友人に「頭がおかしい」「お前、終わったな」と言われたのを覚えている。

当時はVR入学式のイメージが先行しており、「ニコニコのとこでしょ」「あそこ、ちょっとずれてない？」とも言われた。小山さん自身はニコニコも好きだし、「ずれてるならそれはそれでおもしろい」と思っていたが、あまり良い印象を持たれてはいないようだ、と感じた。

今では、知り合った人にN高生であると言うと、「おもしろそうな学校だよね」「良いよね」と好意的な反応が返ってくるようになった。このイメージの変化について、小山さんは「教育関係者からの評価が上がったことが大きいのではないか」と分析している。

「副校長の上木原さんが、いろいろなセミナーなどでお話しされていますよね。あと教材制作部の方も、教育関係者への広報を積極的にやってらっしゃる。先生たちのがんばりで、教育業界からの見られ方が改善した。そうなると何が起こるか。中学の教員が、進学先として生徒に勧めるようになるんです」（小山さん）

小山さんが中学校の教員に「N高に行きたい」と言ったときは、「そんな高校、ないでしょう」と一蹴(いっしゅう)された。そこで、小山さんは自分でN高の説明をしなければいけなかった。しかし、教員内でのN高の知名度や評判が上がったことにより、もうそんなことは起こらなくなったのではないか、と小山さんは考えている。
「先生が進路相談で『N高という選択肢もあるよ』と生徒に言えば、それが親に伝わって、親同士の話でも好意的に扱われるようになる。そうなると、流れが変わってきますよね。先生方から評価を得たことで、社会的地位が上がったんじゃないかと、勝手に分析してます」（小山さん）
「この分析、全然根拠はございません」と付け加えていた小山さんだったが、他の職員や識者の話を聞いていったところ、だいたい合っているように思える。

その証拠に、上木原さん自身も「中学校の先生方がN高を応援してくれるようになったことが、すごく大きい」と語っている。
「入学広報部員のなかには、全国各地の中学校を訪問するスタッフがいます。N高に進学した生徒のいる学校に向けて『預かった生徒さんたちは今こういう状況

です』といった内容をご報告しているんです」（上木原さん）

N高に進学するのは概して個性的な子であり、中学の教員にとっても印象深い、気にかかる存在であることが多いそうだ。そうした卒業生たちがN高で元気に活動していることを報告すると、教員のN高に対する印象が良くなり、信頼感が生まれる。そして、信頼感から生徒に対し、N高を勧めるという好循環が生まれる。

「入学者に毎年、『N高を勧めてくれた人は誰か』『N高に行くのを反対した人は誰か』といったアンケートをとっているんです。最初の年は、『反対した人は学校の先生』という回答がとても多かった。でも年々、『N高を勧めてくれた人』の項目で「学校の先生」という回答が増えてきているんです」（上木原さん）

教育機関の評判は、ヒット商品のようなホームランを1本打てば大きく変わるというものではない。世間のイメージを良くするには、生徒と保護者に誠実に接し、良質な教育サービスを提供し続ける以外の方法はないのだ。そして、N高は毎年話題性のある新しい施策を打ち出し、先駆者としての役目も果たしてきた。

地道な努力とたゆまぬ進歩。その二つで、N高は謎の高校から、唯一無二の第一志望校へと変化したのだ。

第５章

教職員の働き方が変わった

公立校からの転職者も。開校から5倍以上に増えた教員

昨今、「学校の先生になりたい」という人が減っている。文部科学省が発表している公立学校教員採用選考試験のデータによると、教員採用試験の受験者数は2014年度以降減少傾向にある。一方で2000年度以降、教員の採用数は増加。これは、教員の人員比率の多くを占めていた団塊・ポスト団塊世代が退職し、その分を補う必要が出てきたからだ。採用数は増えているのに志望者が減っているため、競争率は低下の一途をたどっている。

また、新型コロナウイルスの感染拡大で、消毒作業や分散登校など通常時にはなかった業務が発生し、教員不足の深刻化が進む自治体も出てきた。しかし、新たに非正規雇用の教員を募集してもなかなか集まらないという現状がある。

そうした状況のなか、N高では教員数を増やしている。生徒が増えたのであれば、サポートする教員も増やす必要があるからだ。開校当時22人だった教員は、

２０１９年４月時点で１１８人と５倍以上に増えた。

２０１７年からはティーチングアシスタント（ＴＡ）も採用し、教員とＴＡを合わせた数が２０２０年10月に５７８人となった。年を追うごとに、教員とＴＡの１人あたりの生徒数は減っている。より、一人一人の生徒に向き合える体制を整えているのだ。

その職業に対する志望者が減っているなかで、自社にマッチした条件に合う人を採用する。しかも、年々採用数を増やす。これは相当難しいことなのではないかと思ったが、N高にとってはそうでもないらしい。「教員採用の合同説明会などでブースを出すと、毎回うちだけ満席になるんです」と奥平校長は言う。

「そういう説明会のブースでよくあるのは、僕みたいなおっさんが地味なスーツ着てじっと座っているという光景。でもN高はみんなポロシャツを着て、若くて活発な打ち出し方をしている。雰囲気が全然違うので、通りかかっただけの人にも『こんな学校があるんだ』と興味を持ってもらえて、そのままエントリーして

もらえることもあります」(奥平さん)

最近では、公立の高校を辞めてN高に転職するケースも出てきている。奥平さんは「初年度では絶対ありえなかった」という。地方において県立高校の教員の職は安定しており、給料も比較的高く、一度着任したらなかなか私学には転職しないのが通例だった。しかも、通信制高校への転職となるとなおさらめずらしかった。

県立高校からN高への転職者に「公務員の座をなげうって、なぜN高を選んだのか」と奥平さんが聞くと、「新しい学校で自分の力を試してみたい」という答えが返ってきた。そうした、強い気持ちを持って転職してきている人が多いのだそうだ。

「6、7年勤めて転職してくる人は、今の時代に合った教育がなかなかできないという葛藤(かっとう)を抱えています。そういう人にとって、N高は新しい教育に挑戦できる場だと思ってもらえているのでしょう。やる気と実力のある教員に『N高でが

んばってみよう』と思ってもらえる高校になったのは、学校を運営している側としてうれしいことです」（奥平さん）

分業とICTツールを活用すれば、先生は「ブラック」な仕事じゃない

教員志望者が減少した原因の一つは、教員が「ブラック」な仕事だと世に知れ渡ったことだ。授業と授業準備以外にも部活動、成績処理、学校行事、生徒指導などで時間をとられ、2016年度の文部科学省による「教員勤務実態調査」では、小学校教員の33・5%、中学校教員の57・7%が週60時間以上の勤務という、過労死ラインを超える時間外労働をしていることがわかった。さらには問題行動を起こす生徒やクレームを入れてくる保護者に対応せねばならず、心理的な負担が大きいイメージも根強い。

N高が他の高校と違うのは、雰囲気だけではない。ブラックな勤務環境に陥らないよう、新しい組織体制、働き方を取り入れているのだ。業務時間を削減し、効率化を進めることで、生徒にしわ寄せが来るのでは本末転倒。教育の質を上げながら、教職員の負担を減らすことに挑戦している。

旧来の学校と大きく違うのは、徹底的な分業体制だ。高校卒業資格取得に関連する授業を実施する人、システムを構築する人、教材をつくる人、課外授業を企画する人、それを実施する人、生徒の学習をサポートする人、イベント・行事を運営する人、部活を運営する人、部活を指導する人、問い合わせに対応する人、事務作業をする人など、それぞれ担当が分かれているのだ。分業することによって、教職員一人一人の負担は減り、より自分の仕事に集中できるようになる。

「担任は生徒の学習進捗管理や進路指導などのサポートが主な仕事になります。授業や授業準備で時間がとられることはないので、一人一人をしっかりフォローできるんです。先生といったら普通は授業をする人だけれど、N高ではそうじゃ

ない。勉強を教える人とコーチの役割を果たす人は別で、どちらも先生なんです」（奥平さん）

生徒への取材でも、将来につながったり転機になったりしたイベントに参加したきっかけが「担任に勧められたこと」だったと答えた人が何人もいた。そうした紹介は、生徒の特性や得意なこと、興味分野などを把握していなければできない。一人一人としっかりコミュニケーションを取っていることの表れだと考えられる。

N高の新しい働き方は、SlackやG Suite for Education、Zoom、rakumoなどのＩＣＴツールによって支えられている。これらのツールを活用することで、情報共有を瞬時に、適切な範囲でおこない、事務処理や意思決定のスピードを速めることができる。

しかし、ＩＴ企業の社員では当たり前なことが、教育業界の人、あるいは教育業界を志望する人ではそうでないことが多い。ＩＣＴツールを導入すると一口に言っても、「うちの学校では難しい」と感じる教育関係者は多いのではないだろうか。N高においても、転職者や新卒採用者のなかで「スマホは使っているがパソコンは使えない」といった人が少なからずいるという。

吉村さんは2019年の夏以降、ICTまわりの業務改善の担当者となり、教職員への研修に力を入れてきた。研修は、ツールの使い方からネットリテラシーまで幅広く学べる内容になっている。

Gmail一つとっても、CcやBCCの意味、アーカイブ、フィルタ・ラベル付けの使い方といった基本的なことをしっかり教える。さらに、Google Chrome（ブラウザ）の使い方から教えてくれるというのだから、だいぶ親切だ。検索の仕方がわからないと、必要な情報にたどり着けない。ネットをうまく活用することも、N高の教員の必須スキルである。

ドワンゴというIT企業が運営を担っているため、内部では業務の自動化も進めている。登録やメール送信、請求書の出し分けなど自動化できる部分は自動化し、教職員への業務負担を減らしているのだ。ICTでブラックな勤務環境を改善する施策においては、そのうちN高がモデルケースとみなされるようになるかもしれない。

ゲームの世界で生徒を率いる、ネット遠足の引率

旧態依然とした業務の削減が進められる一方で、ネットの高校ならではの新しい業務も生まれている。その一つが「ネット遠足の引率」だ。

「ネット遠足」とは、N高で初年度からおこなわれている名物イベントのこと。「ドラゴンクエストX オンライン（スクウェア・エニックスが発売・運営）」のゲーム内で生徒と教職員が一緒に冒険し、それを「遠足」に見立てている。筆者が見学したのは2020年6月に開催された第10回。参加者は年々増えており、この回は2日間で700人が参加していた。

画面に映るキャラクターの多くはN高の制服を身にまとっており、学校イベントらしい空気感が漂っている。制服は特別アイテムとして制作され、生徒に配布されたそうだ。生徒（の操作するキャラクター）たちは、ジャンプしたり踊ったりと楽しそうに集合場所に集まっている。キャラクターの頭上にはユーザーネームが表示されているため、どのキャラが誰なのかわかるようになっている。

参加者が数百人ともなるとコンピューターの画像処理の限界を超えてしまい、実際画面に映っているのは一部だという。それでも参加者は、学校の仲間と「集まっている」という感覚が得られたのではないか。

先生たちは画面を共有し、Zoomを使ってリアルタイムでやり取りしながら引率をしている。生徒に対してコメントで諸注意などをおこない、「楽しみたい！と思った人は、ぜひ積極的に会話を」と交流をうながしたり、「そろそろ出発しましょう」と声掛けをしたりしている。連絡事項などの内容は「よく使うセリフ」として登録し、すぐに表示できるようにしていた。ネット遠足を引率する際の工夫がなされているのがわかる。

生徒たちは、数名ずつパーティ（一緒に行動する仲間の集まり）を結成し、先生たちはそのパーティをいくつか担当している。パーティごとのSlackのチャンネルが作成されており、事前に通話機能で通話するなど「顔合わせ」をしたそうだ。Slackの通話機能を使って点呼をとり、全員の集合を確認したら、ゲーム内の「エゼソル峡谷 塩湖」という場所を目指して移動する。先生はN高印の旗を持って走り、生徒たちを先導するのだ。


一応、移動は乗り物やワープなどを使わず、徒歩（小走り）で移動することを原則としている。あくまでこれはネット「遠足」だからである。ただ移動するだけと思いきや、モンスターに遭遇してやられてしまうなど、オフラインの遠足では起こらないようなトラブルが先生たちを襲う。勢い余った生徒に追い抜かれたり、道を間違えたりと、引率は一筋縄ではいかない。

余裕のある先生は早めに到着し、他の人たちを待ちながら担当パーティにトークテーマを振っていた。コメントに「好きなおにぎりの具」、続けて「パーティ内に同じ人がいたら運命」と書かれている。この先生は、チャットで盛り上がる会話のネタをいつも用意しているのだろうな、と思った。こうしたコメントやSlackでのホームルームのやり取りなどを見ると、N高の先生のネットのコミュニケーションスキルの高さを感じる。

N高教員ならではのゲーム研修とは

紆余曲折ありながらも、目的地に全員がたどり着いた。と思ったら、とある先生の担当生徒が一人来ていないことが判明。先生はチャットで連絡しながら、はぐれた生徒をスタート地点まで空飛ぶ絨毯で迎えに行く。先生は不慮の事態にも対応できるよう、さまざまな操作を覚えなければいけない。はぐれた生徒は、操作がよくわからず戸惑っていたようだった。先生は通話機能で生徒をガイドし、みんなのいる目的地まで一緒に走っていった。

次のプログラムは記念写真の撮影。日の出をバックに撮影しようということで、みんなでタイミングを待つ。直前まで雨が降っていたが、日の出が始まる頃には止んだ。そう、ゲーム内でも時間の経過にともなって太陽（的な光）の位置が移動し、天気が変わるのだ。日の出に合わせて、生徒たちは揃いのポーズをとったり、ジャンプしたりしながらパーティのメンバーで写真を撮っていた。

記念撮影のあとは休憩時間をはさみ、先生たちとのかくれんぼ、そして全員の集合写真を撮影してネット遠足は終了した。集団で歩いて移動し、レクリエーションをして、集合写真の撮影をする。これはまごうことなき「遠足」だと思った。

このネット遠足に参加していた教職員は、2日間で約50人。全員が「ドラゴンクエストX オンライン」を前からプレイしていたわけではない。この引率のために、事前に研修をおこなったのである。先生たちはみんな、ネット遠足に参加するまでにある程度「ドラゴンクエストX オンライン」の操作に慣れ、ストーリーをクリアしてから臨んでいた。N高では、オンラインゲームをプレイするのも業務の一環になるのだ。

研修ではパーティの組み方、ユーザー同士で「フレンド」になる方法、写真の撮り方など基本的な操作を習う。最初はゲームに慣れない教職員も多く、「ゲーム内の集合場所がわからない」「設定を間違える」「アイテムの使い方がわからない」といったトラブルが多発。しかし、研修が進むうちに操作を覚え、「楽しかった」という感想が多く聞かれたという。

事前に練習しておいたおかげか、本番の先生たちは引率をそつなくこなしているように見えた。かくれんぼでも、巧妙に隠れる先生、あえてわかりやすいところに出てみる先生など、個性が発揮されて大いに盛り上がっていた。

ネット遠足は当初、全国にいる生徒が参加できる行事として生まれた企画だった。それが、新型コロナウイルスの影響によって、新たな意義が生まれているように感じる。感染防止のために大人数で集まる行事が開催できなくても、ネット遠足であればみんなで集まり、一つのことを楽しむことができる。通話機能を使えば、おしゃべりもできる。

生徒からはやはり交流が楽しかったのか「自粛期間中にリアルで話す機会が少なかったので、ネット遠足で同じパーティのメンバーと通話できたことが良かった」「写真撮影は、みんなで話し合いながらできて楽しかった。同じキャンパスの人とチームを組めたので、今後リアルで会えたら話しかけてみようと思えた」といった感想があった。

遠足や集団宿泊などの行事は、学習指導要領によると「平素と異なる生活環境にあって」「人間関係などの集団生活の在り方や公衆道徳などについての望ましい体験を積むこと」ができるような活動とされている。いつものSlackとは違うゲーム空間で集団行動を経験し、学校の仲間と交流をする。そう捉(とら)えれば、ネット遠足でも本来の行事の目的は果たせるのではないだろうか。

さらにVRなどを使って現実に近い空間のなかで開催すれば、「自然や文化などに親しむ」といった体験もできるようになる。もちろん、全国どこからでも、体が不自由で移動が難しい生徒でも参加可能だ。学校におけるネット遠足のようなオンラインイベントの可能性、そしてニーズは今後さらに広がっていくと考えられる。教員が操作を覚えなければいけないデバイス、コンテンツも増えていくかもしれない。こうした変化を楽しめる人が、新しい時代に適した先生なのだろう。

シングルマザーこそ、在宅のリモートワークが必要ではないか

N高の働き方の変化を象徴するのが、2019年2月に発表されたリモートワーク雇用だ。これは、N高の既存の教職員のリモートワークを可能にするということではなく、シングルマザーなどの出勤の困難な在宅勤務希望者に限定し、リ

モートワーカーを募集する取り組みである。その背景には、川上理事の長年持っていた問題意識があった。

2020年になって、新型コロナウイルスの感染拡大により強制的にリモートワークへのシフトが進んだが、もともとリモートワークは大手企業のホワイトカラーや専門職だけの特権的な働き方になりがちであった。それに対して川上さんは「世の中には出社して働くのが難しい事情を抱えている人がいる。そうした人にこそ、リモートワークができる職や環境を用意したい」と考えていた。

そこでまずは、非正規雇用の割合が高いひとり親世帯の困窮という社会問題を解決するため、シングルマザーを中心にリモートワーカーを募集することにしたのだった。「ネットの高校」として、生徒だけでなく教員も全国各地に住みながらオンラインで仕事ができることを証明する意味もあった。

文部科学省は教員の超過勤務の問題を解決するため、「学校における働き方改革に関する文部科学省工程表」を公開している。この制度で雇用されるリモートワーカーは、工程表に記されている軽減可能な業務のうち、担任連絡補助、学習計画作成補助、学習システム設定・利用説明補助、その他事務作業などの教務事務補助を担うことになっている。

リモートワーク雇用制度で採用された第一号の沼澤里奈さんは、小学生の二児を育てるシングルマザーだ。２０１９年5月に角川ドワンゴ学園に入社した。

「出社が必須だと、子どもが熱を出したときなどは休みを取らないといけない。休みが多いと、会社からも扱いづらいと思われてしまいますし、こちらも遠慮しがちになる。在宅でリモートワークができると、子どもが病気のときも看病しながら仕事ができるので、休まず仕事を続けられるのがいいですね」(沼澤さん)

N高のリモートワーク雇用制度では、業務の「中抜け」が可能になっている。子どもの学校の送り迎えや、通院などの事情がある場合は、その時間席を外し、当日や翌日以降に残業をすることで補塡(ほてん)できる制度があるのだ。

この制度は、リモートワーカーたちにも「業務時間内に中抜けができるのがありがたい。日本の企業には少ない、育児と仕事を両立できる環境だと思う」「この制度がなければ仕事を続けることはできてないと思う」「通常であれば有給を使用しなくてはならない授業参観や子どもの通院などの場合も補填制度を利用できるのでありがたい」と好評だ。

沼澤さんも「以前の勤務先では子どもに何かあると有給を使っていて、使い切ったあとに休まなければいけない事態が起こると、収入減を覚悟しなければいけませんでした。『あとどのくらい休めるだろう』『次に休んだら収入が減ってしまう』と考えなくてすむだけで精神的な負担が減りました」と語る。

N高で働くことで、学び直しの機会に恵まれる

沼澤さんはN高で働くようになってから、子どもと過ごす時間が増え、ワークライフバランスがとれるようになったと感じている。時間的な余裕が生まれたこ

とで、教員免許取得の勉強を始めたそうだ。

「前は働くだけでいっぱいいっぱいでした。自分ががんばれば大丈夫、なんとかなると思ってたんですけど、なんとかならないことも多くて……。このリモートワーク雇用制度で働くようになってからは、時間の余裕ができて、それが精神的な余裕につながっています。そうすると、教員免許を取得して自分のキャリアにつなげたい、という気持ちが出てきたんです」（沼澤さん）

現在は、スクーリングの時間割の作成や就学支援金や奨学金などの申請書類の確認、問い合わせ対応などをしている。教員免許を取得した場合、生徒と関わる担任補助業務もできるようになる。

沼澤さんは現在、リモートワーカーのチーム運営サポートも担当している。沼澤さんが入社した当初は、与えられた業務をこなせば仕事がまわっていた。しかしリモートワーカーが増えてくると、コミュニケーショントラブルが発生するようになり、チームビルディングの必要性を感じ始めたという。

「シングルマザーって、孤独なんですよね。周りにシングルマザーであることを打ち明けていない人もいます。だから、このリモートワーカーのチームに心のつながりを求める人がけっこういるとわかりました。一方で、シングルマザーという立場は関係なく、バリバリ仕事をして成果を出したいという人もいる。会社や仕事に求めるものが違うと、対立が起こることもあります」(沼澤さん)

今はチームメンバーによって異なるニーズを満たしつつ、業務が円滑にまわるようにするため、さまざまな施策をおこなっている。例えば、ただ仕事を振るのではなく、リモートワークでも帰属意識が保たれるように、Slackのリモートワーカーのチャンネルで出勤、中抜け、退勤などの連絡をすること。各業務にリーダーを設ける、月2回はZoomでミーティングをする、子育ての悩みなどを書き込む雑談チャンネルをつくる、といった工夫も取り入れている。

「一人一人の業務スキルも違いますし、お子さんの年齢によっても働きやすさが違う。そうしたことを配慮して、運営していこうという雰囲気があります。なんでもないことを話す『お話会』を開催して、信頼関係をつくっていく取り組みも

しています」（沼澤さん）

最初は沼澤さんひとりだったリモートワーカーも、２０２０年6月には21人まで増えた。N高としては、さらに雇用を増やし、教員の1割はリモートワーカーにしていきたいと考えている。

沼澤さんは今、N高で働きながら「自分が高校生のときにこんな高校があったら入りたかった」と思っている。

「高校生のとき、カメラマンを目指していたんですけど、撮影の練習時間や機材を買うためにバイトをする時間が全然なくて、もどかしい気持ちでした。学校に通うだけで1日の大半の時間をとられるのがすごく嫌で。N高だと自分でスケジュールを決めて学習できるのがいいなと思います」（沼澤さん）

また、同じ夢や興味を持つ仲間が全国にできるのも、うらやましいと言う。

「当時は田舎に住んでいたからか、カメラマンになりたいと言うと周りから『馬鹿じゃないの？　なれるわけない』『あんたにできるわけない』みたいな反応しか返ってこなかったんです。写真の勉強も、町の写真館のおじいちゃんに習うしかなかった。でもN高生だったら田舎に住んでいても、同世代の同じ目標を志す仲間が簡単に見つかるし、プロから最先端の技術を学べます」（沼澤さん）

沼澤さんは好奇心からアドバンスドプログラムのオンライン授業を視聴してみたこともあるそうだ。動画編集を覚えたいと思っていたため、その技術に関する授業を視聴したところ、数回の受講で動画編集ができるようになって感動した。

「N高では、学びのハードルを低くしてくれていますよね。決められた教科以外に、興味あることをつまみ食いで学んで、スキルを習得できるのがすごく良い。そのスキルを使えば、新しいことにチャレンジできます」（沼澤さん）

沼澤さんの話をうかがい、N高で働くことでリカレント教育が推進されるのだと気づかされた。N高の教職員になった後に、プログラミングに興味を持った人もいるのではないかと思う。学びの入り口が多様で、いくつも用意されていることは、生徒だけでなく教職員に対しても良い影響を与えているはずだ。

ＩＴと教育が結びつくことで変わったのは、生徒の学び方だけではない。先生の働き方、先生自身の学びに対する考え方、ひいてはキャリアも変わっていく可能性があるのだ。

第６章

識者から見たＮ高

学校、塾、企業。それぞれの良さを活かす

ここからは、長く教育に携わってきた識者からN高がどう見えているのか、そして今後のN高はどういった役割を果たすのか、見解を述べてもらう。

まずは第5章で紹介したN高の分業体制について、教育評論家の後藤健夫さんにうかがった。後藤さんは河合塾に勤務していた経験から、予備校では教科を教える人と進路指導をする人が以前から分けられていたと言う。そのほうが、より専門性の高い指導ができるからだ。その施策を高校に取り入れたのがN高だと指摘する。

「N高では業務をより細かく分解して、それぞれ担当者をつけています。これは通常の学校ではできません。ある程度大規模な学校法人だからできることなんです」（後藤さん）

学校、塾・予備校、そして企業が三つ巴(どもえ)のような状態になっているのが、N高の特徴だという。

「担当者がいないなら採用しよう、というのは企業の発想です。企業が入ることによって、目標達成や合理性といった文化が学校に持ち込まれる。だから、N高はスピード感をもって新しい施策を次々と打ち出すことができるのだと思います」(後藤さん)

課題を分析し、解決するために人をあてたり、仕組みをつくったりする。当たり前のようだが、そうしたことが従来の学校ではできていなかった。一方で、目標達成や利益追求といった企業文化が強くなりすぎないよう、塾と学校が教育という本分を全うする。「この三つのバランスがよかったことが、N高が成功した理由ではないか」と後藤さんは考えている。

予備校では、映像授業も1990年代から取り入れていた。全国各地の好きな場所・時間で有名講師の授業が受けられ、理解度に合わせて巻き戻しや早送りができるという映像授業の利点は、N予備校でも踏襲されている。さらにN予備校では、双方向性の参加型システムを導入したのが新しかった。

「ドワンゴはニコニコという動画メディアを運営していたこともあり、ユーザーの気持ちがわかっていると感じます。ニコニコはスクリーンを隔てていても、スクリーンの向こう側、同じ動画を見ている人と、一緒の場と時間を共有できるメディアですよね。その感覚が、N予備校に反映されているんです」(後藤さん)

N高は、「もたもたしている教育業界に殴り込みをかけた」

また、前章で言及した教員不足について、後藤さんは「今後さらに加速する」と見ている。

「今の小中高等学校の教員の年代構成は、50代が圧倒的に多い。この方々が10年かけて定年でいなくなっていきます。もうすでに、いくつかの公立中学校で英語の教員が足りず、授業ができないという事態が起こっているんです」(後藤さん)

後藤さんは、「新型コロナウイルスの影響でオンライン授業や分散登校を体験した教員は『1クラス40人は多すぎる』ということを改めて実感したのではないか」という。1クラスあたりの人数が減っていくと、少子化とはいえさらに教員は足りなくなる。教員不足の問題を解決する一つの方法が、N高の施策を導入することだと考えている。

「動画での授業を取り入れ、ICTツールを使って生徒とコミュニケーションを取る。そうすれば、たくさんの生徒をきめ細かくフォローできます。体制を変えれば、担任が40人の生徒を担当しても、現状の1クラス40人とは違う教育ができるはずです」(後藤さん)

後藤さんの目にN高は「もたもたしている教育業界に殴り込みをかけた」ように見えている。N高にそのつもりがなかったとしても、結果的にそうなっているというのだ。その勢いは、生徒数の伸びに表れている。川上理事は、開校当初から「生徒数10万人を目指す」としばしば口にしていた。もし10万人まで増えたら、N高はどうなるのか。

「今のN高は挑戦者として突き進んでいる状態。もし生徒数が10万人になり、名実ともに日本最大の高校になった場合、何をエンジンにして成長していくのか。そこから失速してしまった場合、N高を手本にして生まれた学校に追い抜かれる可能性はあります」（後藤さん）

「王者は大変ですよ」という後藤さん。懸念はあるものの、教育界の革命児に「これからもガンガンやってほしい」と期待を寄せている。

イノベーティブな人材が教育業界に入ってくれた

次に登場するのは、開校前からN高に期待を寄せていたという鈴木寛さん。鈴木さんは通商産業省（現経済産業省）を退官後、教育に携わり、2014年には慶應義塾大学政策・メディア研究科兼総合学部教授と東京大学の公共政策大学院教授に同時就任した。また、文部科学副大臣を2期、文部科学大臣補佐官を4期務め、アクティブ・ラーニングの導入やAO入試の普及などの大学入学制度改革に尽力した。どちらも今では当たり前に言われていることだ。鈴木さんが現在の教育を形作るのに果たした役割は大きい。

鈴木さんは、2014年にKADOKAWAとドワンゴが経営統合に合意した際、新規事業として教育分野に進出することを聞いた。即座に「グッドニュースだ」と思ったという。それは、以前から「ニコニコ生放送」の政治系の番組によく出演しており、ドワンゴの会長であった川上量生理事と親交があったからだ。また、鈴木さんは通商産業省時代にモバイルインターネットやブロードバンドインターネット、電子決済などの導入・普及を手掛けた経験もあり、ネットには1

９９０年代から親しんでいた。

「川上さんは洞察が鋭く、非常にイノベーティブ。こういうネットの世界の人が教育業界に入ってくれるのは、非常にありがたいと思いました。本質を考え抜ける川上さんが教育をやるとしたら、どんな施策を打ち出すのか。とても興味がわいたんです」（鈴木さん）

鈴木さんは長年、地域住民の意向を学校運営に反映させるコミュニティ・スクール（学校運営協議会）の制度化に尽力するなど、行政の側から教育改革を進めてきた。また、１９９５年から大学生を集めた「すずかんゼミ」を主宰し、リーダー育成も積極的におこなってきた。すずかんゼミや教え子のなかからは、ヤフーＣＥＯの川邊健太郎さん、ユーグレナ創業者の出雲充さん、スマートニュース創業者の鈴木健さん、ＮＰＯ法人フローレンス代表理事の駒崎弘樹さん、ＮＰＯ法人カタリバ代表理事の今村久美さんなど、たくさんのリーダーを輩出している。

しかしそれだけでは、世の中は変わらないと感じていた。

「川上さんは、教育政策でもリーダー育成でもなく、学校そのものをつくって世の中のボリュームゾーンを直接変えていこうとしている。これによって、教育革命が次のステージに進むという実感を持ちました」（鈴木さん）

N高の本質は、公正な個別最適化を実現したことにある

鈴木さんは、現在の教育は工業社会に適した20世紀型の遺物だと指摘する。

「マニュアルを配布し、生徒はそれを暗記して、正確かつ高速に再現する。日本はこの教育に成功して経済成長したけれど、情報社会では通用しないんです。情報の価値は『差異』にあります。同じことの繰り返しには価値がない。工業社会ではお手本に酷似したものをつくることに価値があったわけだから、180度変わったと言っていいでしょう」（鈴木さん）

社会が変わっても、前時代的な教育は続いていた。鈴木さんはN高のコンセプトを聞いたとき、N高は工業社会的な教育に終止符を打とうとしており、その新しい教育は自分が目指してきた方向性とリンクしていると感じた。

N高の本質は「公正な個別最適化の学びを実現できる環境」だと鈴木さんは言う。

「個別最適化を実現するためには、ＩＴが必要になる。『ネットの学校』は手段なんです。例えば、日本の市町村の中には高校がない市町村が約4分の1あります。そこに『Nセンター』というネットを使った学びの場をつくる。それは過疎地域に住む子どもに対して公正に、個別最適な学びを提供するということです」

(鈴木さん)

鈴木さんは第三次安倍内閣の林芳正文部科学大臣の大臣補佐官として「Society5.0に向けた人材育成に係る大臣懇親会」の座長代理を務め、「形式的平等主義から公正な個別最適化へ」というコンセプトを打ち出している。

「画一的な形式的平等主義を打破することが、私のライフワークと言ってもいい。子どもというのはそれぞれが世界に一人しかいない、唯一無二の存在なわけです。それにもかかわらず、日本の教育は誰に対しても同じ画一的なものを提供している。おかしいですよね」（鈴木さん）

このコンセプトはまさに、工業社会的な教育からの脱却を表していた。公式に文書が発表されたのが２０１８年。それより前から「公正な個別最適化」を先取りして実現したのがＮ高なのだ。

またＮ高は、１９９８年のノーベル経済学賞受賞者であるアマルティア・センが提唱した「ケイパビリティ」を獲得するための学習支援プラットフォームである、とも感じた。鈴木さんはこの「ケイパビリティ」を、「よりよい人生を切り開いていく力」と訳している。

「私はこれからの教育に何が必要なのかを、教育理論から考えていました。一方、川上さんは直感でわかったんでしょうね。我々はまったく違う方法で、同じ答えを出していた。だから、Ｎ高について聞いたときに『これだ！』と全面的に賛成

しました」（鈴木さん）

アメリカのトップ教育と日本の公教育を比べるのはおかしい

鈴木さんは現在、ＯＥＣＤ（経済協力開発機構）の教育分野における事務局「教育・スキル局」のアドバイザーを担当している。ＯＥＣＤで２０１５年から進められている「Education 2030（教育２０３０）」というプロジェクトのビューローメンバーでもある。

この教育２０３０では「次の教育とは何か」「次の学校とは何か」というテーマで議論が交わされてきた。プロジェクト会議で発言するたび、鈴木さんはＮ高を後ろ盾のように感じている。

「Ｎ高が存在していることで、教育理論だけでなく、未来を先取りした学びのケースをもとに話すことができる。実践と理論を往復することで、思考も洗練されていきます。しかもこれまでに2万人を超える若者が、そこで学んできた実績がある。これらのことによって、世界の教育の論壇に対して発言力が持てます」（鈴木さん）

国際的な会議でN高について話すと、「日本の議論は進んでいる」と驚かれるという。

「イギリスは今、保守党政権でむしろ20世紀型教育に戻っている傾向があります。また、初等中等教育は、イギリス、アメリカ、フランスあたりはうまくいっていない。それは移民の問題があるから。アメリカは格差が大きすぎて、州によって別の国のようです。メディアはよく『アメリカの教育はIT化が進んでいる』と言いますが、そこで取り上げているのはアメリカのトップ3に入るような学校。トップクラスと日本の平均的な学校を比べるからおかしいんです」（鈴木さん）

しかも、アメリカでITを活用した先進的な教育をおこなっているのは、基本的に私立校であり、授業料が年間数百万円以上かかるのだという。

「N高も私立ですが、就学支援金などを利用すればそこまで学費は高くなりません。私は、あらゆる地域に育つ子どもたちに最善の学びを提供したい、と考えて活動してきました。授業料に500万円、600万円も払える家庭はごく少数。学費の実額だと21万1000円（高等学校等就学支援対象の条件を最大限満たす場合の3年間の実質負担額）で最先端の教育が受けられるN高は、世界のベストプラクティスの一つだと思います」（鈴木さん）

N高という選択肢によって、追い詰められずにすむ

N高のアドバイザリーボードのメンバーとなり、開校してからもN高を見守ってきた鈴木さん。2018年には『熟議』のできる真のアクティブラーナーに

なる!」と題して、特別授業をおこなった。国際留学プログラムの英語面接も担当している。第2章に登場するスタンフォード大学 国際教育プログラムに参加した成田美晴さんも、鈴木さんの面接を受けたと言っていた。また、すずかんゼミの学生や卒業生もN高に多く関わっているという。

Nセンターを訪問したり、沖縄・伊計本校で授業を見学したりと、N高の現場を見て鈴木さんが思ったのは、「日本の教育が居場所を提供できなかった子どもに対して、明らかに居場所を提供できている」ということだった。

「元気がなかった子どもたちが、水を得た魚のように生き生きしだすのを目の当たりにしました。この子たちはN高がなかったら、自暴自棄になったり、ふさぎこんでしまったりしたかもしれません。N高に通ったことで、人生を充実させていこうと思い直してくれることがすごくよかった」(鈴木さん)

まだN高に通っていない人にとっても、N高という選択肢ができた影響は大きい、と鈴木さんは考えている。「学校とはこういうもので、これしかないから我慢しなさい」と強制されていた人たちは、「いざとなればN高がある」と思えるようになった。選択肢は「もう少しがんばってみよう」という希望になる。

「特に地方の子は、これまで選択肢がほとんどありませんでした。県によってはらつきはあるけれど、頭の固い校長先生のもとで、工業社会向けの教育をしている高校がほとんどです。そして、その高校に入るのがすべてだと教える中学校しかなかった。密閉された空間と、風が入ってくる空間では、息苦しさが全然違う。N高があることで、追い詰められないですみます」（鈴木さん）

誰にでも開かれた、ダイバーシティのある学びの場

N高の教育は、日本全国のあらゆる高校生に開かれている。社会の、特に若者のマインドセットを変えるためには、成功例を見たときに「あれは自分の話じゃない」「自分には関係ない」と思わせてはいけない、と鈴木さんは言う。

「アメリカモデルの教育では、裕福な家の子か、運のいい子にしか光が当たらないんです。でもN高では、どんな子でも道は開けていると思わせてあげられます」(鈴木さん)

誰にでも開かれている教育には、もう一つ利点がある。学びの場にダイバーシティが生まれることだ。

「多様な友達ができるのは大事なことなんです。視野が広がるし、卒業してからもさまざまなリスクに連帯して立ち向かっていける。成育環境がある程度同じ人たちしかいない学びの場では、社会に対する視野が狭くなり、画一化が進みます」(鈴木さん)

取材でも、生徒から「N高では前の学校と違ってみんないろいろなことをしている」「友達が自分にはないものを持っていて、刺激を受ける」という声が聞かれた。多様なバックグラウンドを持つ人と知り合うこと自体が学びになるのだ。

鈴木さん自身は、大人になってからさまざまな職業の人と友人になり、それが意外な場面で自分を助けてくれることを実感したという。特に、技術の発展によって予測不能なリスクが起こるようになった「リスク社会」では、今後何が必要になるかわからない。想定外の事態が起こったときに大事なのは、知識や技能だけでなく「態度」であると鈴木さんは言う。

「災害や事故などが起こると、普通は浮足立ってパニックに陥る。そういうときに、一呼吸おいて、何が起こっているかを把握する。すぐには改善しないかもしれないけれど、一つずつやっていけばいつの日か必ず乗り越えられるという希望と自信を持っている人。そういう人は頼りになるし、自分も周りも幸せにできます。N高で知識や技能だけでなく、こうした態度を身につけられる教育ができるといいですね」（鈴木さん）

鈴木さんは、N高からリスク社会の次世代リーダーが出てくることを期待している。

「N高にはすでに、自分の人生をデザインし、プロデュースする新しい生き方をしている子が多い。従来型のエリートとは違う、何かあったときに頼りになる人。そういう人の出身校を聞いたときに『あの人もN高卒業生だったんだ』となる未

来を予想しています。5年後、10年後が楽しみです」（鈴木さん）

鈴木さんはこの取材の後、角川ドワンゴ学園のCEAに就任した。CEAとは「Chief Educational Advisor」の略で、角川ドワンゴ学園の賛同者、協力者、アドバイザーなどの意見を集約し、具体化につなげていくリード役を担うのだという。鈴木さんは、この役目について「世界の教育史に残る新たな挑戦」であると意気込んでいる。

教え育てるのではなく、機会を提供する

鈴木さんがライフワークとまで言っていた、日本の教育における「画一的な形式的平等主義」の根深い問題。それについては、夏野剛理事も言及している。

「今の日本の高校は、平等を建前にして均一性や同一性がベースの教育システムがつくられているんですよ。一例として、今は運動が苦手な子も、アスリートとして活躍している高校生も、『指導要領に書いてあるから』と全員同じ体育の授業を受けている。それは教育上、本当に必要なのでしょうか」(夏野さん)

　均一性ではなく、個人の偏りを大事にする。「その子のやりたいことを邪魔しない」のが教育において最も大事なのではないか、と夏野さんは考えている。

「N高から予想以上に早く東大・京大合格者が出たのは、合格する力がある人を邪魔しなかったから。これが重要なんです。受験に邁進したい子には、そういう環境を整える。一方で、やりたいことが見つかっていない子には、いろいろなことを試せる機会を提供します」(夏野さん)

　夏野さんは「教育」という言葉自体、これから変わっていくと考えている。

「教え育てるのではなく、いま子どもに必要なのは機会を与えること。機会というのは、やりたいことが見つかる機会でもあるし、やりたいことを追求する機会でもある。それが教育のプラットフォームの役割になっていくと思います」(夏

野さん）

夏野さんは、開校前からドワンゴの顧問としてＮ高に関わりながら、プライベートでは父親として小学校から中学校、高校へと進学していく二人の子どもを育ててきた。そのため、「Ｎ高の運営側の人間として、最も肌身で初等中等高等教育の問題点を実感してきた人間である」と自負している。近年は、小学校のＰＴＡの会長も引き受けたという。

「保護者の立場として、『今の教育、本当にこれでいいの？』という疑問がたくさん浮かびました。一方、２００８年から慶應義塾大学の教員として学生を教えてきたことで、高等教育の問題点も見えてきました。こうした現場の経験から、Ｎ高に何が求められているのかを考えてきたんです」（夏野さん）

子育てや教員としての経験だけではなく、夏野さんは教育行政にも携わってきた。近年では、内閣府の規制改革推進会議の教育関連のワーキンググループの委員や、「新型コロナウイルス感染症対策に関する特命タスクフォース」のメンバーとして、遠隔授業の単位取得数の算定を柔軟にするなどの提言を出してきたのだ。

日本の学校は、社会との接点が欠けている

現場から生まれた問題意識の一つは、日本にはリアルな社会に接続した授業が極めて少ないということだった。そこで設立したのが、起業部や投資部、政治部といった部活動だった。

「インターナショナルの学校だと、地元の役所に行って何かを提案する、小学校に行って自分たちが授業をやってみる、といった課外活動がよくおこなわれているんです。日本ではあまり見ないですよね。N高の生徒にも実社会と関わって、行動する機会を提供したい。そう思って、起業部や投資部、政治部といった部活

を提案しました」（夏野さん）

また、外部のプロフェッショナルとの接点も積極的につくってきた。慶應義塾大学の授業でもゲストスピーカーに起業家など、社会で活躍する人を呼ぶことが多いのだという。N高では話を聞くだけでなく、自分の活動に対して直接アドバイスをもらうこともできる。

「N高の部活だと、起業家に起業のアイデアにフィードバックをもらったり、投資家に投資の方針について相談したりと、密接に外部のプロフェッショナルと関われる。それは、生徒の人生に大きな影響を与える体験だと思っています」（夏野さん）

学校運営の在り方も、通常の日本の学校とは違う方向を模索している。ヒントになったのが、ペンシルバニア大学経営大学院ウォートン・スクールでMBAを取得した経験だ。そのとき、アメリカの教育機関は学生に対し、教育する対象であると同時にサービスを提供する「カスタマー」として接していると感じた。

「だから、学生の満足度を重視している。日本では、偏差値とか評判で受験先を選ぶことはあるけれど、実際通っている人の満足度はあまり気にしないですよね。でも、本来はそこに通っている生徒・学生の満足度が高い、その学校に通うことに誇りを持っている、ということが大事。そういう学校のほうが、充実した学校生活が送れるはずです」（夏野さん）

N高に通うことに満足しているかどうかを知るために、N高では定期的に生徒や保護者にアンケートをとっている。２０２０年8月のアンケートでは、高校自体の満足度は86・３%、学習についての総合満足度が79・９%と高い結果が出た。入学して友達ができたという回答は86・３%にのぼり、自由回答では「初めて心の内を話せる友人にも出会え、この高校を卒業するために頑張ろうと思いました」「ネットで仲良くなってからイベントなどでリアルに会うことが多いので、友だち作りが得意じゃなかった私だけど、今は友だちがいっぱいできた」といった声も寄せられた。

夏野さんは２０１９年２月に株式会社ドワンゴの代表取締役社長となった。開校当時よりもＮ高運営に積極的に携わるようになり、現在は記者発表の場でスピーカーを務めたり、メディアでＮ高についてのインタビューに答えたりと、スポークスマンとしても活躍している。

元文部科学事務次官が「ネットの高校」の理事長に

初代の角川ドワンゴ学園理事長は、就任当時ＫＡＤＯＫＡＷＡ代表取締役会長であった佐藤辰男（さとうたつお）さんだった。いわば、「ビジネス畑」の人である。その後任となったのが、元文部科学事務次官である山中伸一さん。新卒で文部省に入省してから38年間教育行政一筋だったキャリアを持つ「教育畑」の重鎮だ。

２０１８年６月に角川ドワンゴ学園理事長に就任した山中さんは、学習指導要領の改訂など、日本の小中高校生に「何を教えるか」の決定を主導してきた。学習指導要領はだいたい10年に1回改訂されており、各学校種別、各教科で委員会が設置され、そのメンバーで内容を審議している。日本では、学習指導要領がしっかり決まっているゆえに、各教員が何を教えるかを一から考えなくてすむというメリットがある。

ただ、その学習指導要領で新しい授業形態や新しいタイプの教科などが追加されると、何をどう教えるのか、現場に混乱が生じることがある。

例えば、2002年度から実施された「総合的な学習の時間」。この授業は週に2、3時間、自分で課題を設定し、それについて調査研究をして、成果を発表するというのが大枠となっている。内容は自由だ。スタートしたときに、困ったのは教員だったという。

「これまでは指導要領があって、それに沿った教科書があり、決まったことを教えればよかった。でも、何をやってもいいとなると困ってしまう。授業のモデル例を出してほしいとよく言われました」（山中さん）

総合的な学習の時間は、学力低下やゆとり教育に関連して批判的に見られることが多く、開始時に比べると時数が縮減されている。当時は学校5日制も同時に導入したため、「主要5科目の授業の時間が減ってしまった」「そんな授業やるくらいならもっと教科の学習をやれ」という批判が山のようにきた、と山中さんは言う。

しかし山中さんは、総合的な学習の時間は21世紀の知識基盤社会に必要な「21世紀型スキル」を身につける、先駆けとなる教育だったと考えている。

「総合的な学習の時間は、自ら学び、考え、判断する力を養うものなんです。いまや、学校で教えられた知識は、すぐに古くなってしまう時代。学び方を学ぶ、解決策を探す方法を学ぶことが大事なんです」（山中さん）

「総合的な学習の時間」をはじめとして、山中さんは30年以上の間、子どもたちが「思考力」「判断力」「表現力」といった、これからの社会で必要な力を身につけられるよう、教育を変えようとしてきた。しかし、公教育を一新するのには時間がかかる。着実に改革は進んでいるが、激変する社会にまったく追いつけていない。そう感じていた頃に出会ったのがN高だった。

きっかけは2017年の秋、川上理事から「通信制高校をつくりました」と声をかけられたことだった。山中さんは文部科学省を退官し、駐ブルガリア特命全権大使も辞めていた。

話を聞いてからN高について調べたところ、文部科学省時代にやりたくてもやれなかった、新しい学び方の導入や、ICT活用などが当たり前におこなわれていることに驚いた。生徒の学習履歴のデータベース化も実現していた。

「友達づくりについても、データ分析からアプローチしたりするんです。そういう発想が私の中にはなかったので、すごくおもしろいと思いました」（山中さん）

2017年の10月には、沖縄・伊計本校を訪問した。そのときのスクーリングでは、川上理事と『エヴァンゲリオン』を創った庵野秀明（あんのひであき）監督が特別講義をおこなった。庵野監督の話が直接聞けるなんて、アニメファンならずとも多くの生徒にとって胸が躍る体験だっただろう。

しかし山中さんは、庵野監督のことを知らなかった。山中さんは当時を振り返り、「あとで、ものすごく有名な人だと知り、一緒に写真を撮ってサインをもらえばよかったと思いました」と笑っていた。ニコニコやネット文化とアニメコンテンツは切っても切り離せない。このエピソードから、山中さんにとってN高が「異文化」であったことがうかがえる。

この数ヶ月後に山中さんは株式会社ドワンゴの顧問となり、翌年の6月に角川ドワンゴ学園の理事長に就任した。

教育のオンライン化が進まない国、日本

新型コロナウイルスの感染拡大により、先進国でインターネット環境が整っている国において教育のオンライン化は加速した。特に中国では、一斉に自宅でのオンライン学習やリモートワークへの切り替えが進んだことが、日本でも話題になった。

そこで山中さんは北京在住の教育関係者に実態を聞いてみたところ、「そんなにすごくはない」という答えが返ってきたという。なぜなら、オンライン化といっても教員が授業をしている映像を生徒が視聴するだけだから、だと。それでもZoomなどのビデオ会議システムを使った授業が全体の5％程度しか実施されていない日本よりはよいのかもしれない。

2018年におこなわれた、OECDによる国際的な学習到達度に関する調査

「生徒の学習到達度調査（PISA）」をもとに国立教育政策研究所が公開した「2018年調査補足資料（生徒の学校・学校外におけるICT利用）」から、日本の教育におけるICT活用がOECD加盟国のなかで最低であることがわかる。

「普段の1週間のうち、教室の授業でデジタル機器をどのくらい利用しますか（数学の授業）」という質問に対し、OECD平均は「週に1時間以上」「週に30分以上、1時間未満」「週に30分未満」という回答の合計、つまり利用するという回答が37・8％であるのに対し、日本では7・8％だった。

利用率が比較的大きい外国語の授業でも、OECD平均が44・4％なのに対し、日本は29・6％だ。「コンピューターを使って宿題をする」「携帯電話やモバイル機器を使って宿題をする」という設問に対しても、日本は調査参加国のなかで「まったくか、ほとんどない」という回答の割合が最も多い。学習においてデジタル機器をほとんど使わない国なのだ。

なぜそうした状況が生まれているのか。日本では公教育が充実しており、平等性が重んじられるため、インターネット環境やデバイスが全生徒に行き渡らない状態でデジタル化を進められないからなのか、と山中さんに聞いたところ以下のような回答が返ってきた。

「たしかに現場では、家庭にインターネット環境がない、デバイスがないという生徒が一人でもいたら、オンライン授業をやるのはおかしい、という意見がよく出てきます。でも、家庭に環境整備を任せるのではなく、タブレットを配布する、スマホで対応できるようにするなど、実現しようと思ったら方法はあると思います」（山中さん）

山中さんの言うように、なかには小中学生や教員に対してデバイスの配布を実施している自治体もある。しかし、それはまだごく一部である。

双方向性を実現したオンライン授業

オフラインの授業には、ただ知識を教授するだけでないさまざまな要素が含まれている。その一つが、中国の授業のオンライン化では実現されていなかったという双方向性。「これを知っている人は？」と聞かれて生徒が手を挙げたり、質問したり、戸惑いの表情を浮かべていたり、といった非言語的なものも含めた生徒側の反応も授業の一部だ。こうした要素が、N高の教育ではうまくデジタル化されている、と山中さんは思っている。

「N予備校の生中継の授業であればニコニコ動画のコメント機能みたいに、質問や思ったことをどんどん流すことができます。普通の映像授業でも、見ていてわからないことがあればSlackですぐ質問したりできる。できるだけ双方向性を実現しようとしていると感じます」（山中さん）

さらに、オフラインの授業にあって、オンラインの自宅学習にないもの。それは、周りのクラスメイトだ。これも、N高ではなるべく再現しようと工夫しており、「ネット自習室」などがその一例だと考えられる。

コミュニティづくりを促進しようとはしているものの、積極的にネットコミュニティに参加する生徒は4割程度にとどまっている。残りの6割のうち、約7割の生徒は時々参加する。そして、3割の生徒はまったく参加しないという結果が出ている。参加していない生徒にとってN高は、レポートの添削機能だけの通信教育と体験価値が変わらない。アクティブにネットコミュニティに参加する生徒を増やすのは、N高の今後の課題だといえる。

N高では、友人の存在は学習意欲の向上だけでなく、学校生活の継続のために必要だと考えている。そのためオフラインでも文化祭や部活動など、生徒同士のつながりができるような場をつくろうとしている。

「友達ができると、卒業まで一緒にがんばろうという気持ちがわいてくるし、大学進学や就職、資格取得などのモチベーションも同じ目標を持つ仲間がいるとがんばれる。積極的に生きる姿勢が生まれるんですよね」(山中さん)

「教える・教えられる」関係からの脱却

山中さんにとって、N高で一番驚いたのは教員の在り方だった。

「従来の教育では、うまく教えられる先生が良い先生だった。うまい教え方というのは、効率的に知識を吸収させる教え方。テストで良い点がとれる教え方がいいとされていたわけです」（山中さん）

この場合は、教え方のノウハウを蓄積しているベテランの先生のほうが「良い先生」とされることが多かった。「ところがN高は全然違う」と山中さんは言う。

「教える内容は、動画や録画の教材がある。こうなると、生徒がどううまく学習を進めるかが重要になります。先生と生徒の関係は、『教える・教えられる』ではなく、生徒主導の『学びたい・サポートする』という関係になるんです」（山中さん）

「ラーナーセントリック」、つまり学習者が中心となり、自ら課題・目標を定め、自分で考えながら学習することの重要性は、以前から言われていた。しかし、実際に、1万6000人という規模の生徒が、「教える・教えられる」の関係から抜け出している学習環境があること。それが非常に画期的なのだ。

「教員というのは、基本的に教えたい人がなるわけです。でもN高の通学コースの教員は、新しく採用されたときに『あんまり指導をするな』と同僚にアドバイスを受ける。まずは生徒に何をやりたいか聞く。そして、困ったときに解決策を一緒に考える。『こうしたらいい』とすぐに指導しないんです」（山中さん）

生徒の自主性ややる気を尊重し、信頼する教育の構造。それが新しいと感じた。

「生徒には学ぶ意欲がある。そう信じて、いろんな材料を提供する。教え込む教育ではなく、やりたい人を支援する。ずっと『そうあるべき』と考えていた教育が、N高でようやく実践できるようになりました」（山中さん）

文部科学省にいたときは、一つのことを変えるにしてもすごく時間がかかっていたが、N高ではすぐに実践できることも新鮮に感じている。

「公教育全体では変えられなかったことが、N高では変えられる。最初は一部だったとしても、N高のやりかたが支持されれば、全国でもそれと同じような流れが出てくるでしょう」(山中さん)

２０１６年の開校時、教育業界にとってN高は異端児であった。教育行政側は、立ちはだかる壁として現れることはあっても、応援してくれる存在ではなかった。ＩＴ企業が面白半分で教育業界に参入してきた。そうした見方も多かった。

それが今では、N高の教育そのものが、先進的で参考にすべきものとして、教育業界から評価されるようになった。批判の声はゼロではないが、N高を教育機関として脅威に思っているからこその意見であるようにも見える。そして新型コロナウイルスの感染拡大により、教育のデジタル化が急務となったことで、文部科学省からもオンライン教育のパイオニアとして一目置かれだした。今後はさらにN高が教育改革の旗手として、日本の公教育の変化をリードしていく存在になるのかもしれない。

第７章

Ｎ高＋Ｎ中等部＋Ｓ高

「N中等部」の背景にはニーズと研究があった

夏野理事に取材をした際、「N高を設立して今に至るまでに予想外だった展開が二つある」という話を聞いた。一つは、東大・京大合格者が開校4年という短期間で出てきたこと。もう一つが、N中等部を2019年4月に設立したことだ。

N高の運営側は、2017年頃から中等部の構想を持っていた。あと5年ほど高校で実績をつくってからと考えていたが、現場の声を聞いて「これはなるべく早くつくらなければ」と考え直したという。

「N高生の話から、中学の時点でさまざまな悩みを抱えている人が多いことがわかりました。中学生は、高校生よりも強い同一性の圧力にさらされている。そこに息苦しさを感じる子どもたちの逃げ場、選択肢がないんです」（夏野さん）

中学で息苦しさを感じている生徒、というのは人間関係や学力に問題を抱えている生徒だけを指すのではない。中学生のうちから本気でやりたいことが見つかっている人、学力が突出している人なども、通常の中学校に通うことに違和感を覚えていることがわかってきた。

「もっと早くN高のような学校に通わせてあげたかった」。こうした意見が、たくさんの保護者から寄せられた。そのなかには問題なく中学校に通い、N高に入ってからも通学コースでプログラミングなどを熱心に学んで活躍していた生徒の親も多かったのである。

ここで、N中等部設立に尽力した開設準備室室長の為野(ための)圭祐(けいすけ)さんに話をうかがう。為野さんはもともと、N高の職業体験プログラムを企画・運営する担当者であった。そのなかで、生徒が「ガラッと変わる瞬間」があることを実感していた。

「職業体験先や地域の大人が、何のために仕事をしているのか、何のために生きているのかといったことを本気で生徒に向き合って語ると、生徒も本当にやりたいことや本音を表に出し始めます。教科書的な知識を教わるのではなく、自分というものに気づく体験として、すごく意義のあるコンテンツだと思っていまし

た」（為野さん）

この職業体験のような学びを、別の形式の授業やワークショップで得ることはできないか。そう考えた為野さんたちは、２０１７年の初頭から職業体験の要素を特定し、それを違うシチュエーションで再現するワークショップを企画していた。それと同時に、Ｎ高オリジナルの課題解決型学習プログラム「プロジェクトＮ」において、解決策を考え、制作物をアウトプットするために必要な「思考スキル」や「コミュニケーションスキル」などを身につける教育を、中学生にも応用できないかという研究を進めていた。

これらの実践・研究に加え、生徒や保護者からＮ高の中学バージョンを求める声が高まり、中学生向けの教育プログラムをつくる方向で議論がまとまってきた。そして、２０１８年３月、Ｎ中等部の準備室が設置された。

最初に決めたのは、コースだった。中等部をＮ高同様にネットコースから始めるか、それとも通学コースから始めるのか、が議論の焦点となった。

準備室では、12歳から15歳という年代の生徒に対し、N高の教育形式をそのままあてはめるべきではない、という意見が多数派を占めた。高校生とは違う、中学生の年代の生徒たちが身につけたほうがいいこと、身につけたいことがあるはずだ。それは何かと考えた結果、夢中になれるものを見つけ、それを専門性に変える基礎力ではないかという話になった。

そのためには、N高通学コースで実施している「プロジェクトN」やコーチングのノウハウを活用し、先生がしっかり伴走したほうがいい。そこで、N中等部は通学コースからスタートする決断をした。

「我々は既存の学校教育を否定するつもりはまったくありません。中学校には中学校の役割がある。だからこそ、私たちはN中等部でしか受けられない新しい教育をつくらなければ、と考えました」(為野さん)

そこでN中等部の柱を「探究学習(21世紀型スキル学習)」「教養を含めた学力向上」「プログラミング」の三つに据えた。その三つがバランスよく学べるように、既存の中学校でもなく、塾でもなく、習い事でもない教育機関としてN中等部を設計していったのだ。

居場所として、既存の中学校からも認められる存在に

2018年9月13日、翌年4月にN中等部を開設することが発表された。記者発表の中継が終わった瞬間、全国から資料請求のメールが届いた。通学制ということもあり、発表時には定員40人を予定していたが、それでは到底対応しきれない。

すぐにキャンパスを増やす決断をし、初年度をスタートする時点で、東京に二つ、大阪に一つの計3キャンパスを設置することになった。2019年4月時点での生徒数は202人。予定の5倍の人数で開設した。なかには、群馬から東京

のキャンパスに通ってくる生徒、淡路島(あわじ)や名古屋から大阪のキャンパスに通ってくる生徒もいた。

N中等部は、N高と共通した理念の下に運営されるスクールであるが、学校教育法第一条に定められた中学校ではない。生徒は法律に定める中学校に在籍しながら、N中等部に通うことになる。

N中等部の設立を発表した際、学校関係者から電話があり、「軽い気持ちで中学校教育に参入しないでほしい」と強く抗議を受けたことがあった。しかし、為野さんたちがN中等部の意図するところについて説明をしたところ、真摯(しんし)に取り組んでいることが伝わり、納得してもらえたという。

「我々は中学生にどういうスキルや心の成長が必要なのかということを、大学教授や精神科医と一緒に連携して研究し、プログラムに落とし込んでいます。また、教科の勉強が進みすぎていて学校に居場所がない生徒など、さまざまな生徒が個性を活かせる教育環境をつくりたい、という話を丁寧にしました」(為野さん)

話を聞くと、中学校の先生も学校に違和感を持っている生徒をどうケアして良いのかわからない、という悩みを持っていることがわかった。Ｎ中等部がそうした生徒たちの能力を伸ばす教育の場となるならば、必要な存在だと理解したのだろう。

また、２０１９年10月にＮ中等部への風向きが大きく変わった。「教育機会確保法」という、不登校のために学校で勉強する機会を失った生徒に対して学校への登校を強制せず、それぞれに合った学習環境を保障するための法律がある。文部科学省が各教育機関に向けてこの法律の施行を徹底し、民間施設と学校の連携を進めるよう、通知を出したのだ。

「そのなかにＮ中等部のような中学校以外の機関と中学校が連携すること、さらに社会的自立も含めた生徒の学びを出席扱いできるという文言があったんです。中学校の先生からも、Ｎ中等部と連携して見守っていくほうが生徒にとって良いという言葉を多く聞きます。Ｎ中等部に協力的な中学校が非常に増えています」

（為野さん）

教育関係者からのクレームは、今ではまったく来なくなった。むしろ、N中等部に通う生徒が在籍している中学校の教員から、「生徒がN中等部でやっていることを楽しそうに話してくれる。表情もすごく明るくなった」と、プラスのフィードバックが来ることもしばしばある。そこから、中学校の教員がN中等部に見学に来るという交流も生まれている。

教員の役割は、教育コンテンツと生徒をマッチさせること

N中等部では、国語や数学などの教科の学習を、N高のようにN予備校を使って進める。自分のペースで受講でき、基礎的な内容から中学の範囲を超えた高度な内容まで学べるのが特徴だ。

スタート前、「ただN予備校をインストールさせるだけでは絶対にやってくれ

ないだろう」と考えた為野さんは、中学生に勉強に関する困りごとをヒアリングすることから始めた。そうすると、「ノートのとり方がわからない」「勉強の仕方がそもそもわからない」といった声が聞かれた。そこで、為野さんたちはまず各生徒にコーチングの面談を設け、ノートのとり方の授業も用意することにした。

それでも、中学生が映像授業で学習を進められるのか、N中等部の授業がスタートするまでは不安だったという為野さん。勉強は現実と乖離したものではなく、やりたいことに関係していると気づいてもらいたかったため、中学生が興味を持ちそうなアイドルをテーマに数学の話をする準備もしていた。

スタートしてみれば、不安は杞憂に終わり、生徒たちはN予備校での学習にすっと入り込んでいた。N予備校の映像授業は1本あたり6分ほどの動画になっている。一つずつクリアしていくごとに生徒たちは自信を持ち、自主的に学習をどんどん進めていった。

N高と同じく、先生の役割は国語や数学などの教科を教えることではない。では、何をやっているのか。それは、多様な教育コンテンツと生徒をマッチさせることだ。

「プログラミング学習と一口に言っても、まったくやったことのない生徒、ちょっと知っている生徒、アプリをつくってみたい生徒、ゲームをつくってみたい生徒など、それぞれに適した教材が違います。そこで、先生はその生徒の実力とやりたいことを把握して、コンテンツ開発部が制作した教材を紹介する。そこから学習を進めていくのは生徒自身です。先生は個人の能力を伸ばすためのコーチなのです」(為野さん)

これは第5章でN高の奥平校長が言っていたこととも重なっている。そしてN中等部が現状課題だと感じているのは、教育コンテンツのマッチングの先にある、外部のコミュニティへの接続だ。

「ものすごく数学が好きな生徒がいました。彼は中学2年の夏までに高校2年までの数学を学び終えて、数Ⅲもやると言い始めました。こうした生徒に、教科の内容を教えるだけでなく、同じく数学好きの人たちと議論し合える場をつくるこ

とや、研究のコミュニティにつなぐことなどが必要だと考えています」（為野さん）

ちなみにN高では、川上理事の提案で大学レベルの数理科学を教える課外授業を用意している。そもそもプログラミング教育でＡＩの分野まで広げて教える場合、行列や線形代数といった数学の理解が必要になってくるのだという。

「僕らのプログラミング教育は、実践的という意味では大学よりもレベルが高い。じゃあ、プログラミングの次にＳＴＥＭ領域で何をやるかというと、一つは学問の王様である数学です。受験の勉強を超えた学問ができる環境をつくっていこうと思っています」（川上さん）

そうした課外授業に参加する生徒は少なくてもいい、と川上さんは言う。

「もっと学びたいと思ったときに、学べる環境を用意しておくことが大事なんです。一人でも二人でもやる人が出てきたら、その姿を見て後を追う子は増えていく。さらに、学んだ人たちが活躍していったら、後輩にもやりたいと思う人が増

えるでしょう」（川上さん）

数学オリンピックを目指したい生徒を想定しているのかと聞くと、それは少し違うらしい。

「あれは本当の数学の勉強じゃないと思うんですよね。数学オリンピック出場者から優秀な数学者が出ているのも、また事実なんですけど。でも、目指したいという人がいれば支援はしますすよ。すごく優秀な人が、人生一度くらいはわかりやすい成果を求めることもあるでしょうし。数学オリンピックのメダリストのコーチをつけて、伴走します」（川上さん）

N中等部の数学好きの生徒は、N高に進学を決めたそうだ。N高では数学仲間が見つかるだろう。友人と切磋琢磨（せっさたくま）し、その能力をさらに伸ばしていってほしい。

ネットコースもスタート。生徒数は900人を超えた

初年度にN中等部に集まった生徒は、勉強したい人、プログラミングスキルを身につけたい人、イラストや映像制作などのクリエイティブに興味がある人、とさまざまだった。なかには「グループで何かを成し遂げられるようなリーダーシップを身につけたい」という目標を持っている人もいた。

「全員に共通していたのは、N中等部で自分の個性を活かしたい、自分を変えたい、という気持ちを持っていたことですね」(為野さん)

こうした意欲的な生徒がN中等部を活用し、「今日、学校でこんなことをした」と家で話すようになった。

「中学生にもなると自分から保護者に話しかけない人も多いですよね。でも、N中等部の生徒たちはすごく話してくれた。友達ができたとか、プログラミングでこんなことをしたとか、自分の得意な数学をこんなに進めたとか、そういうこと

を伝えてくれた。そこから、保護者様同士のつながりで口コミが広がって、途中入学でも多くの入学希望者が来てくださいました」(為野さん)

初年度の終わりには、生徒数は約４００人になっていた。記者発表時の予定人数の10倍である。

全国から「N中等部でこういうことがやりたい」という強い気持ちが記された資料請求のメールが舞い込む。しかし、全国にキャンパスを設置するのには時間がかかる。

そこで、２０２０年4月からはネットコースをスタートした。1年間N中等部を運営した経験から、Zoomなどを使えば通学コースのように「21世紀型スキル学習」やN予備校を使った基礎学習、プログラミング学習ができると確信が持てたからだ。

ネットコースの誕生により、N中等部はよりN高と同じような教育環境で学べるようになった。現在、ネットコースには全国から生徒が集まっており、海外に住む生徒も在籍している。日本各地の生徒が、N中等部での学びを地域活動に還元していく動きもみられるという。

２０２１年３月の時点で生徒数は、通学コース５２４人、ネットコース４３７人。合わせて９６１人の生徒がN中等部に在籍している。

２０１９年の開設時に中学３年生として入学した生徒は、２０２０年３月に卒業。その９割が積極的にN高に進学した。N予備校での学習や、先生にコーチングをしてもらう教育が合っていると感じる生徒が多いのだ。

N中等部もN高のように生徒数10万人、といった展開を目指すのだろうか。そう聞いてみると、「結果的に多くの生徒が学べる場にはしていきたい。でも、数字的な野望があるわけではない」という答えが返ってきた。

「目標は数ではなく、質だと思います。やりたいことを見つけられる場であり、社会で活躍するためのスタート地点になること。それを卒業した生徒にどれだけ実感してもらえたかが、勝負でしょう」（為野さん）

ついにVRで授業が受けられるように

ここからは、未来の話をしたい。N高ではICT活用が進んでおり、個別最適化を目指した先進的な教育がおこなわれている。しかし、現在のN高の教育が完成形なわけではない。N高が見据えているのはもっと先のゴールだ。川上量生理事は「AIを活用して生徒のデータから理解度を判断する。さらに、それに合わせた学習内容を自動で提案し、効率的な学習を進められたら」と語る。

「人間が人間に教えるときは、相手の表情や口調、話し方などから、どれくらい理解しているのかを判断しますよね。だから未来の姿としては、勉強しているときのユーザーの身体情報をできるだけモニタリングして、AIで解析し、理解度を測ったうえで適切な教育コンテンツを提示するのが望ましい」(川上さん)

２０２１年４月からは、その端緒となる「普通科プレミアム」がスタートする。普通科プレミアムでは、単位認定授業と課外授業を「オキュラス クエスト２」というVRのヘッドセットデバイスで受けることができる。オキュラス クエスト２では装着しているユーザーの姿勢や首の向きなどを検出できる。そのデータをもとに、前述のような研究を進めていく予定だ。デジタルを使った効果的な教え方を、より積極的に模索するのが普通科プレミアムなのだ。

　このヘッドセットをつけると、３６０度すべてにVR空間の教室が広がり、音声もその空間内の音しか聞こえなくなる。VRの特性を活かし、分子模型などを立体的に観察したり、名所や世界遺産を見てまわったりもできるようになる。

　VR空間には、校舎も用意されている。デザインしたのは巨匠・隈研吾さん。ぐるぐると螺旋状に天高く伸びた塔は、VR空間ならではの雄大で奇抜なデザインだ。ヘッドセットをつければ、この校舎の中を散策することもできる。

　VRの教材はN予備校と連携しており、ヘッドセットを外すと、続きの映像が

N予備校に流れる。VRで学んだほうがいい部分はVRで、そうでないところはタブレットやPCのスクリーンで、と必要に応じて切り替えられるのだ。

2021年4月以降に入学する生徒は、出願時に「普通科プレミアム」か、VRを使わない「普通科スタンダード」のどちらかを選択することになる。

VRによる集中とモチベーションアップの効果

VRは学習においてどう効果的なのか、N高では1年以上前から調査研究をしてきた。その結果、二つの効果は確実にあるということがわかってきた。一つは、強制的に集中する環境がつくれることだ。

映像授業を受けているときに、友人からメッセージが来たらつい開いてしまうだろう。スマホが目に入ったら、SNSをチェックする誘惑にも駆られる。自宅学習であれば、家族のたてる物音が気になるかもしれない。VRのデバイスを被ると、そうした気が散る情報を遮断できるのだ。授業を受けるバーチャル空間の画角は狭いため、先生が否が応でも目に入ってくる。そうすると、授業に集中せざるを得なくなる。

「VRというと、現実にはないものが表示できるなど、派手なところが注目されがちだと思うんですけど、視覚効果で学習効率がどのくらい上がるのかは未知数ですよね。最初は目新しくても、そのうち飽きてしまうかもしれない。でも、『集中』は学習効果を高める確実な要素です。家庭教師や塾などのマンツーマン指導は、細やかな指導はもちろん、目の前に人がいるという存在感とそれによる集中の効果が大きいのではないでしょうか。こういう現実的な部分が大事なのだと思います」（川上さん）

また、VRの授業では、周りに生徒をアバターとして表示することができる。これにはモチベーションアップの効果があるという。

「リアルタイムで同じ授業を受けていなくても、過去にその授業を受けていた生徒のアバターが映るんです。ニコニコ動画のコメントのように、疑似同期で同じ時間を共有しているような感覚が得られます」（川上さん）

これはZoomの映像をつないで自習をする「ネット自習室」にヒントを得ている。ネット自習室につないでいるほうが、つないでいないときより長時間勉強できることがわかってきたのだ。Zoomの場合は実際に同じ時間に学習しているが、疑似同期でも同じような効果が期待されると考えている。

「本当はずらっと40人くらい表示したいけれど、現状はパソコンの処理の限界で数人しか表示されない」という川上さん。何人くらい表示されるのがいいのか、表示されている生徒は動きも含めてどういった表現がいいのか、そうした細部についても調査、研究を続けている。

VRと教育はすごく相性がいい、と川上さんは言う。

「アメリカでは、アメリカンフットボールのプロチームがこぞってVRの練習を取り入れています。フォーメーションの練習など、選手を実際に集めていろいろなパターンを試すのは難しい。でもVRなら簡単にできます。過去の試合映像をVRで確認することも、フィードバックの質を大きく高めています。教科の学習にとどまらず、何かのオペレーションを教えるといった教育においてVRはとても効果的なんです」(川上さん)

こうした効果をふまえ、面接などのコミュニケーション練習をVRでおこなうプログラムも開発している。

「人と話すことや、人前で話すことがうまくなるためには、場数を踏むことが必要です。でも、通信制高校として全員を校舎に呼んで練習するわけにはいかない。そういう部分でVRが有効に使えると思っています」(川上さん)

川上さんは、VRとAIは教育の最終的な切り札だと考えている。現在、機械と人間を含めた知性一般の学習とはどういうものかを研究しているそうだ。

「そのうち、人間はどうしたら効率よく学習できるかという理論体系もできると思っています。『あなたの実力だったら、何時間、この教材を使って勉強すれば線形代数が理解できるようになる』ということまで、コンピューターで算出でき

るようになると考えているんです」（川上さん）

ＡＩを用いた教育で世界トップを狙う

川上さんは、ＡＩを教育に活用する分野において、Ｎ高が世界トップを狙えると考えている。教材を制作する教育系の会社はエンジニアを有していない。ましてやＡＩエンジニアとなるとなおさらだ。一方、ＡＩベンチャーは概して規模が小さく、継続して研究できる体力がない。そして最大の問題として、生徒がいない。Ｎ高にはドワンゴのエンジニアがおり、生徒もいる。継続的に研究できるくらいの企業規模でもある。これらの課題を、すべてクリアしているのだ。

Ｎ高では1年以上前から、映像授業を撮影するときは３６０度カメラを設置し、ＶＲ化に対応できるようにしてきた。そうすることで、リーズナブルかつコンスタントに教材が制作できる。こうした体制があることもアドバンテージになる。

「EdTechをやるときに何が重要なのかといったら、長期的に研究開発できる体制をつくること。つまり、資本力です。そして、プロダクトの良さだけでなく、ビジネスとして成功できる仕組みを持っていないといけない。いいものをつくるだけじゃだめなんですよね」（川上さん）

N高とそれを支えるドワンゴは、世界トップのEdTechカンパニーになるステップを、段階を追って進んでいこうとしている。そのスタートはN予備校を開発し、デジタル化された学習のデータベースを持つことだった。生徒の学習データは今、着実に蓄積されている。

「N予備校は本当にいいものにしようとしてつくったんです。これがゲームだったら、よくできたおもしろいゲームにはみんながすぐに飛びつくので、話題になりやすい。N予備校は勉強のアプリだから、それほど話題にならなかった。でもやればそのすごさはわかるので、4年かけ、新型コロナウイルスの影響もあって、

ようやく最近、世間に認知されるようになったという感じですね」(川上さん)

N予備校というアプリの出来には自信があった。しかし、それを喧伝(けんでん)することはなかった。本質的な部分は、口コミでしか広がらないことを知っていたからだ。

「N高のプロモーションとしては、ぱっと目を引くようなVR入学式とか、そういったコンテンツをあえて出しています。他の学校がやっていないことで差別化をはかる方針です。僕らが本当に力を入れているのは教育内容ですが、それを売りにしようとは考えていません。自分たちで言ったところで、伝わらないからです。教育は1日、2日でブランドとして確立することはない。でも長期的にみると、教育内容が最終的な評価につながる。そういうものなんです」(川上さん)

「S高」誕生。本校は茨城県つくば市に

２０２０年10月15日、N高の歴史に新たな一ページが加えられた。第２のN高といえる「S高等学校」を設立することが発表されたのだ。校長には、本書にもたびたび登場した吉村総一郎さんが就任する。プログラミング教育に精通した、30代の若き校長の誕生である。

なぜ今回は「S」なのか。Sには「Super」「Special」「Shine」「Spectacle」など、さまざまな〝S〟を生徒一人一人が見つけ、自分だけの〝S〟をつくれるように、という想いが込められているという。

川上さんは、スタジオジブリ代表取締役であり角川ドワンゴ学園理事の鈴木敏夫さんと対談した際に、『第２N高』という案もあったが、そうはしたくなかった」と言っている。

「高校生の気持ちになったら、『第２』と名のついた学校って、行きたくないで

すよね。先にできたのはN高ですが、新しい学校には別の名前をつけて新しいアイデンティティを獲得すべきだなと」(川上さん)

鈴木さんもその意見に賛意を示し、映画業界の過去の事例について教えてくれた。

「東映が、1958年に設立した子会社を、その翌年に『第二東映株式会社』と商号変更したんですよ。東映は映画会社のなかで一番商売がうまくいってたから、これでもっと日本の映画界を支配しようっていうんで、そういう名前にしたんでしょうね。でも見事に目論見(もくろみ)が外れて、第二東映の映画は全然ヒットしなかった。2年くらいやって全然ダメだったから、今度は『ニュー東映株式会社』って名前にした。これはさらにダメだよね。このあたりから東映の衰退が始まるんです」(鈴木さん)

S高の本校所在地は、茨城県つくば市となる。発表会には茨城県知事やつくば市長もゲストとして登壇した。また、筑波大学の永田恭介(ながたきょうすけ)大学長もビデオで登場し、筑波大学とS高が教育研究に関して連携することを明らかにした。

基本的にN高とS高は、同じ教育サービスを受けられる。通学コースは同じキャンパスに通い、課外授業やネット部活、イベントなども合同でおこなう。違いといえば、本校所在地が違うため、2年次のスクーリングがN高だと沖縄県うるま市、S高だと茨城県つくば市になることか。スクーリングではそれぞれの地域の特色を活かした内容になるため、S高の場合は「JAXA筑波宇宙センター」などでの課外活動がおこなわれる予定だ。

発表時にはTwitterで「S高開校」のハッシュタグがトレンドに入り、「どっちに通おう」と迷う声も見られた。S高への入学願書はN高のスタート時よりも快調に集まっている。


両校で定員いっぱいまで生徒を受け入れると、これでおよそ4万人の生徒がN高・S高に通うことになる。

規模が拡大するならば、それにふさわしいインフラを整備しなければ、と夏野理事は言う。
「システムもカリキュラムも刷新していきます。クオンティティが上がるなら、クオリティも上げていく必要があります。何年か前につくったものをただスケールアップしていくのではなく、サービスの質も向上させていきます」（夏野さん）
生徒が成長していくように、学校としても成長を止めない。これは、会社の経営と同じだ。止まった瞬間に、そこから陳腐化していく。具体的には、もっとグローバルな観点を入れていきたいと考えているという。
「海外に住んでいる日本人の高校生、あるいは海外に進学したい日本に住む高校生。そういう生徒にマッチしている学校だということを広めていきたい。『ネットの高校』は海外でも問題なく通えるし、むしろ相性がいいはずです」（夏野さん）
「日本の教育を全面的に変えることを目指しているわけではない」と夏野理事は言う。それでも、既存の教育システムにはまれない1割の高校生に、N高の教育を提供できればと考えている。現在、日本の高校生の数は全体で約３２０万人。その1割というと約32万人だ。32万人の生徒と考えると巨大な数だが、「ニコニコに毎日４００万人アクセスしてるのを考えたら、システム上は32万人でも大したことない」という頼もしい答えが返ってきた。

川上さんは、「生徒数10万人はいく」と予測している。そしてやはり、「高校生全体の1割が通うようになったら教育が変わる」と考えている。

「1割が変わるって、大きいですよ。しかもその1割が受けている教育が効果的であると話題になったら、他の学校も追従して、1割以上の教育が変わる。これまでもN高はいろいろなものを変えてきたけれど、もっと大きく変えられるパワーをつけられると思っています」（川上さん）

N高の生徒数が10万人規模に増えるためには、「世の中のためになる」と思われることが大事だと川上さんは考えている。

「ドワンゴは株式会社として教育市場に入っているけれど、利益を追求するのではなく、ひたすら良いことをやるべきだと考えているんです。そのほうがうまくいくのではないか、という仮説を立てています」（川上さん）

善行を積めば積むほど、拡大できる。それは、通常の市場原理とは違う。基本的に資本主義において、企業の活動は経済合理性がないと継続できない。社会貢献活動は、資金力のある会社がほそぼそとやるしかないのだ。しかし、教育は本業において「社会に良いこと」ができる。

「世の中が『この学校がやっているのは良いことだ』と思わないと、教育市場のなかで規模を拡大することはできません。N高の生徒が増えて日本が明らかに良くなった、子どもが幸せになった、と思ってもらうことこそが、僕らが拡大する最大の担保になる。資本主義市場では非常にめずらしい、いいことをやればやるほど成功するモデルなんです」（川上さん）

川上さんはドワンゴの会長職についていた時期に、「世の中のためになりたいという気持ちはある。でも、それが第一義になると会社はつぶれる。世の中のためになることは、『オプションで付くかもしれない』くらいにしておかないと結果的に欺瞞になる」といったことをインタビューで述べていた。当時は、会社の利益と社会的意義が相反することに、葛藤を抱えていたのかもしれない。今回の取材では、「良いことをすれば成功する事業をやるのは、幸せなことだと思う」と口にしていた川上さん。N高はいくつもの事業を成功させてきた経営者が、その力を善行に「全振り」してできた稀有な学校なのだ。

開校から、すさまじい勢いで成長してきたN高。S高の誕生で、その発展が加速する。生徒数が10倍になる道筋が見えてきたからだ。これからアルファベットを冠する高校が増えていけば、本当に10万人、30万人といった生徒が「ネットの高校」に通うことが可能になる。もはや「N高」という名前に対する違和感も消え、「どのアルファベットがついている高校に行くの？」といった会話が自然になされるのかもしれない。

前作では「新設校『N高』の教育革命」というサブタイトルをつけたが、まさに今、私たちは革命が起きるのを目の当たりにしようとしている。インターネットが世界のインフラになったように、「ネットの高校」もまた当たり前の存在になっていくのだろう。ＶＲを使った授業、ＡＩがサポートする個別学習、それらを数十万人の高校生が受ける未来。想像すると心が弾む。教育手法やツールの進歩は、高校生だけでなく大人を含めたすべての人々に影響を与えるからだ。Ｎ高の教育がスタンダードになった世界で、何を学ぼうか。自分事としてイメージを膨らませながら、今後もＮ高の躍進を追っていきたい。

編集協力／佐久間　彩乃

装丁／國枝　達也

崎谷実穂（さきや　みほ）
フリーランスライター。人材系企業の制作部で求人広告等のコピーライティングを経験した後、広告制作会社に転職。新聞の記事広告の仕事を専属で担当し、100名以上の著名人に取材。独立後はビジネス系の記事、書籍の執筆・編集を中心に活動。著書に『Twitter カンバセーション・マーケティング』（日本経済新聞出版）、『ネットの高校、はじめました。新設校「N高」の教育革命』（KADOKAWA）、共著に『混ぜる教育 80カ国の学生が学ぶ立命館アジア太平洋大学APUの秘密』（日経BP社）、構成協力に『ニコニコ哲学 川上量生の胸のうち』（日経BP社）、『発達障害を生きる』（集英社）などがある。

ネットの高校、日本一になる。
開校5年で在校生16,000人を突破したN高の秘密

2021年4月21日　初版発行

著者／崎谷実穂

発行者／青柳昌行

発行／株式会社KADOKAWA
〒102-8177　東京都千代田区富士見2-13-3
電話　0570-002-301（ナビダイヤル）

印刷・製本／大日本印刷株式会社

●お問い合わせ
https://www.kadokawa.co.jp/（「お問い合わせ」へお進みください）
※内容によっては、お答えできない場合があります。
※サポートは日本国内のみとさせていただきます。
※Japanese text only

定価はカバーに表示してあります。

ISBN 978-4-04-109830-1　C0095